脳が脱皮する美術館

はじめに

障がいのある人の描くアートは、なぜこんなにも私たちの魂を揺さぶるのでしょうか。

この「なぜ？　どうして？」と考察することはとても意味深く、何年たっても興味は尽きません。

私たちはきっと、アートを介して、自分の心と対話しているのだと思います。

百聞は一見にしかずといいます。あなたもこの本を通じてアートと対話し、心の中にある「答え」を探ってみませんか。

障がいのある人々の描くアートは、美術界の常識を楽々と飛び越え、私たちの脳にこびり付いた常識のあかを剥ぎ取ってくれます。鑑賞を終えた後は、街の風景や空気の匂い、社会の見え方まで変わっていることを実感できるでしょう。

そして、多様性に富む新たな価値観を得た喜びも感じているはずです。

障がい者アートを巡る旅

驚くべきことに障がいのある人が描くアートが、人類の美術史を塗り替え、アートの世界の価値観を変容させています。ビジネスの世界でも、「アート思考」の重要性が年々高まっています。

障がいのある人のアートを使った「対話型アート鑑賞」は観察力、創造的思考力を高め、経営や商品開発で問題となっている「コモディティ化」に一石を投じる、人材育成の革新的でユニークなプログラムとなっています。

さらに、「多様性理解」を楽しく学べ、「チームビルディング」にも効果的です。

障がいのある人々が創作する絵や立体造形の多くは、従来のアートにはない独特の個性や魅力を持っています。同じような障がいがあっても、表現は個々に異なり、まさに多種多彩です。

重度の知的障がいを持つ人たちの内面は繊細で感受性が豊かで、驚くほど想像力に富んでいます。言葉をうまく使いこなせず、思いをうまく伝えられないもどかしさやストレスが、表現行為を通してあふれ出てくるのだと私は想像します。

だからこそ、言葉で言い表しにくい不思議な魅力があるのです。これまでに見たことのないアートとの出合いは、初めて訪れた場所のように新鮮な刺激と感動を与えてくれます。また、既成概念にとらわれない自由な描き方や色彩が、ひらめきの元である右脳を効果的に刺激します。そうした人の作品は、色彩も豊かでモチーフも身近なものが多く、美術に詳しくない人や子どもたちでも容易に鑑賞を楽しめます。

その魅力の虜になった人は世界中に数多くいて、アートの専門家たちも大いに関心を寄せています。障がいのある人のアートはファインアートと同等、いや、それ以上に高く評価されることがあり、世界に名をはせるアーティストが次々と誕生しています。アートの殿堂であるパリのジョルジュ・ポンピドゥー国立芸術文化センターも正式にコレクションに加えました。このことは、人類の美術史に一石を投じる「快挙」だと思います。

本書に登場する人々は、さまざまな理由により、障がいと共に生きる世界に足を踏み入れています。私も含め、障がいの観点を持ったことで、両方の世界から社会や人間を眺めることができました。そこから見えてきた「対話」の重要性をお伝えしたいと思っています。

私の場合は妻と死別したショックから、鬱状態《うつ》に陥りました。今では何とか元気になりましたが、考えてみると、鬱への落ち込みや鬱からの脱却を経験する以前に、障がいのある人の描くアートとの出合いはありました。

25年前、友人に誘われて養護学校（現在の特別支援学校）の文化祭を見学に行き、そこで障がいのある人のアートに出合いました。そして、その生命力に満ちた豊かな色彩や造形に、いっぺんで虜になってしまったのです。これまでに出合ったことのない、根源的なエネルギーを感じさせる作品が数々ありました。強い表現衝動を感じました。描かずにいられない、という声があふれ出てくるかのようでした。帰りの電車の中でも、作品から受けた衝撃が遠い海鳴りのように私の心を静かに震わせ続けていました。

それにしても、必ずしもアカデミックな美術教育を受けていない人が、どうしてこれほどまでに個性的で魅力的な作品を生み出せるのかが不思議でなりません。

その謎を探るために、障がいのある人の創作活動に積極的に取り組んでいる福祉施設や団体を巡る旅を始めたのです。自宅で活動しているアーティストやご家族にもお会いしました。作品展があると聞けば必ず足を運びました。こうして多くの新しいアーティストに出会いましたが、謎はますます深まるばかりです。

人間という生き物の複雑さと多様性に驚く日々でした。生きるために大切なことを学ぶ旅でもありました。そして今、ようやく何かが分かりかけてきたような気がしています。

ひとくちに「障がい」といっても、その種別も程度も一人一人異なります。障がいのある人が皆アートを得意としているわけでもありません。決してうまいと言える絵ではないこともあり、何が描かれているのか分からないこともあります。それでも、私たちの想像を超える何かとてつもない個性や表現力を持つ障がいのある人が数多くいるのは、まぎれもない事実だと私は確信しています。

障がいのある人が生み出すアートに出合ったこと、見つけたことそのものが、人生の価値観や生き方を変える重大な出来事だったのです。そうしたアートに触れるたびに、常識の箍《たが》を外されていくのだと思います。ふと気付くと、目からうろこが落ちるように、アートというものに対して私が持っていた固定観念がペロンと一皮むけていたのでした。

「フクフクプラス」のソーシャルデザイン

そうしたアートから大いなる啓示を得た私ですが、同時に福祉の抱えるさまざまな問題を知ることになりました。法改正もあり、障がいのある人を取り囲む環境は格段に向上しましたが、収入の低さや社会とのつながりの薄さなど、まだまだ改善すべきことは山積みです。

そうした社会課題に対して、CSV型の株式会社フクフクプラスを仲間と共に立ち上げました。障がいのある人の創作活動をデザインの力を使い事業化することにより、「社会参加」や「収入支援」を生み出すソーシャルデザインの会社です。

CSV（Creating Shared Value）とは、共有価値の創造と訳され、ハーバード大学のマイケル・

E・ポーター教授とマーク・R・クラマー氏が提唱して社会に広く認識されました。その本質は、企業が自社の事業や製品を通じて社会課題の解決と同時に事業収益も得ようとする考え方で、世界的に注目されています。

福祉施設やアーティストを巡る旅の中で、福祉の抱えるさまざまな問題を知りました。貧困、差別、環境など、私たちが生きるこの社会は深刻な問題を幾つも、多岐にわたって抱えています。そうした問題を一つでもいいから自分たちの力で解決したい、より良い方向に持っていきたいという思いが、私たちフクフクプラスの原動力となっています。

ソーシャルデザインとは、社会が内包するさまざまな問題を解決することを目的として行う活動のことです。私たちは寄付金などの外部資金に頼らず、自力で事業収益を上げ、サポートを必要としている人や組織に対して継続的に支援をしていくことが重要だと考えています。

フクフクプラスの場合は、「障がいのあるアーティストと活動を共にする」というビジネスプランを展開しています。具体的に言うと、「障がい」という個性のある人々が描いた絵を、一定期間有料で貸し出す「アートレンタル」を行っています。

また、複数の人が集まって「障がいのある人の描いたアート」を間近で鑑賞し、どんなふうに見えるか、どう感じるかなど、みんなで話をしながら理解を深めていく「対話型アート鑑賞」というワークショップを企画運営しています。フクフクプラスが開催する「対話型アート鑑賞」は、これまでに延べ5000人以上の方々に体験していただきました。

ちなみに、「対話型アート鑑賞」は、観察力、創造的思考力、コミュニケーション力、そしてチームビルディング力などを高める人材育成プログラムとして、ビジネス界はもとより社会の各方面で注目を集めています。コモディティ化で悩み、レッドオーシャンで溺れかけている人に新たな発想法という泳法を身に付けてもらい、ブルーオーシャンにたどり着いてほしいと思います。

本書を読み進めていただく際の大切なポイントは、次の四つです。

【1】障がい者＝人間の本質や可能性を教えてくれる人々
【2】アート＝自分を知る手段、あるいは、自分を伝える手段
【3】対話＝他者と自分がつながる大切な場所
【4】想像力＝愛に気付き、未来をつくる力

『脳が脱皮する美術館』の運営母体であるフクフクプラスは、全ての活動において、「対話」を大切にしています。

障がいのある人のアートに特化した「アートレンタル」と「対話型アート鑑賞」、そのほかにも「アートを活用した各種企画・デザイン」など、幾つものサービスがありますが、その中心に据えたのは『脳が脱皮する美術館』というコンセプトです。窮屈な殻を脱ぎ捨て、価値観を変え、一回り大きく成長してほしいとの思いから、こう名付けました。

各章を分かりやすく説明いたします。

第1章　「対話型アート鑑賞」とは何かを解説
第2章　脳が脱皮する人材育成法「対話型アート鑑賞」をリアルに紙上体験
第3章　当事者の語るＬＧＢＴＱのホンネと本質
第4章　「名画」に認定された、障がいのあるアーティストの育成法の謎に迫る
第5章　音のない世界での「アートでおしゃべり」オンライン版を紙上体験
第6章　Googleが認めた最強のチームビルディング「シブヤフォント」を紹介

第7章　最先端の人材育成法「対話型アート鑑賞」×「空のチームマネジメント」を紹介

本書を読んでいただき、「対話型アート思考」を通して障がいのある人と会社や団体の仲間をポジティブに理解する喜びを手に入れてください。

インクルーシブな社会について、表面的に理解するのではなく、多様性を認め、すべての人が支え合いながら、共に生きる社会を実感していただけると幸せです。

※本書では、「障がい」という表記を採用します。障がい者アートに関わる研究や仕事に従事している、私が尊敬する方がこの表記を採用していることと、私自身が「害」という漢字がネガティブなイメージが感じられるので、ひらがなにしたいと考えました。

目次

脳脱column

第1章

ようこそ『脳が脱皮する美術館』へ

次のページのアートを、2分間じっと観察してください。
あなたがこの作品を創ったアーティストになったつもりで
タイトルを付けてみてください。

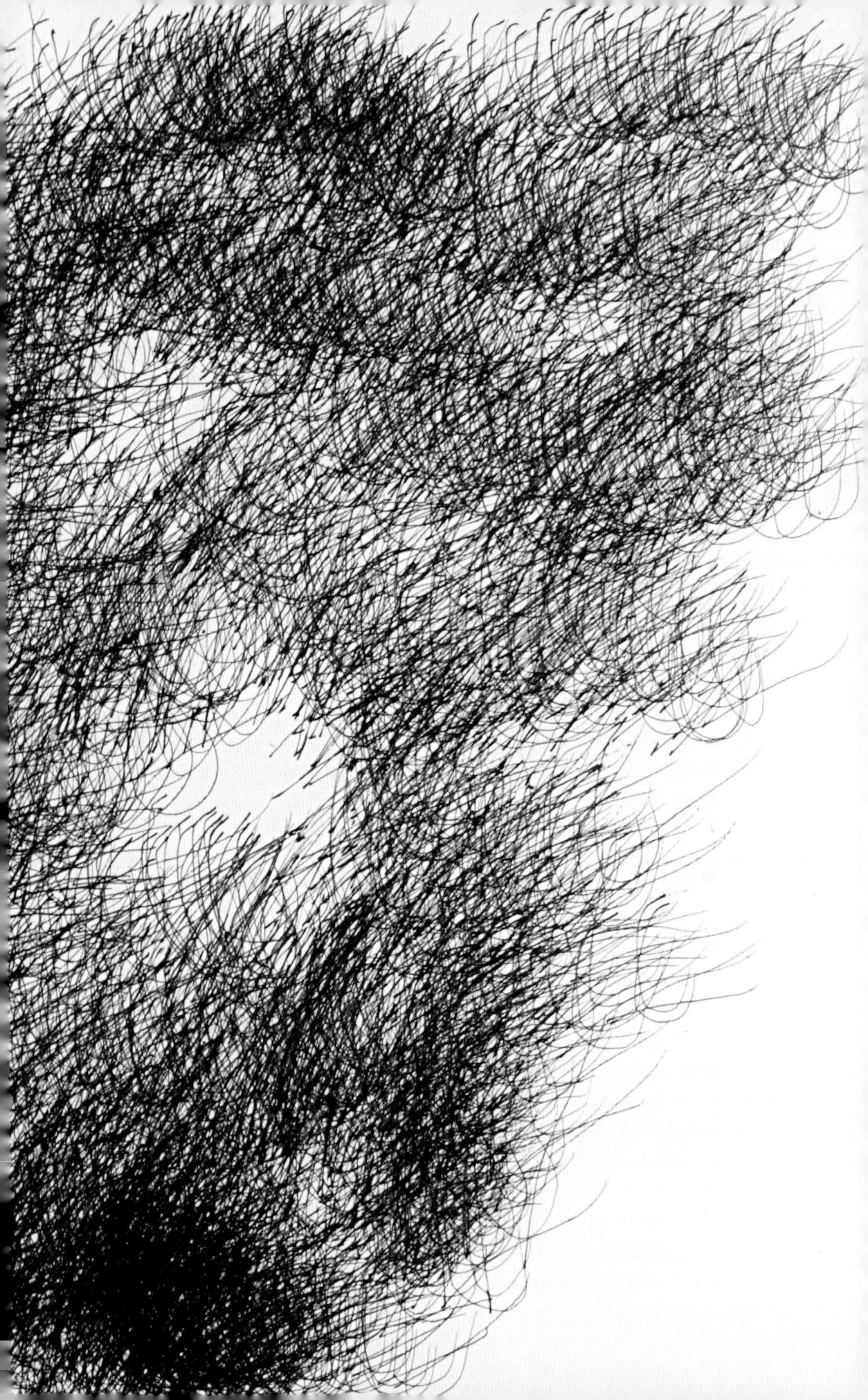

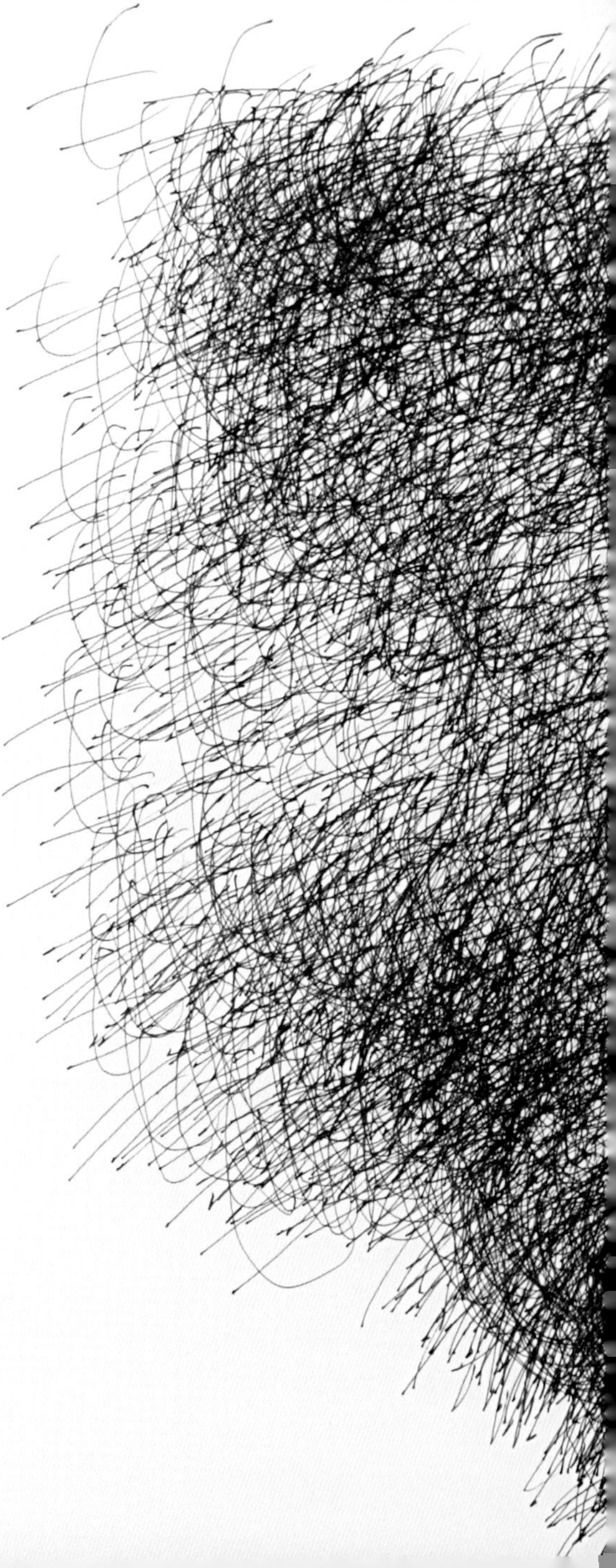

障がい者施設から世界的アーティストが誕生

「ケムリ」「怒るクマ」「もくもく」……いろいろ考えられますね。あなたはどのようなタイトルを思い付きましたか。

この作品は、パリのジョルジュ・ポンピドゥー国立芸術文化センターのアール・ブリュット（生《き》の芸術）部門に収蔵されています。年間300万人が来場する世界有数の美術館にコレクションされているのですから、「名画」と呼んで差し支えないでしょう。

作品のタイトルは『ドラえもん』です。

よーく見ると「も」という文字が繰り返し描かれています。「も」を数え切れないほど重ねることで、煙のような不思議な造形が浮かび上がっています。

社会福祉法人みぬま福祉会が運営する「工房集」という施設に所属している、重度の知的障がいのあるアーティスト・齋藤裕一さんの作品です。齋藤さんは大好きなテレビ番組名を繰り返し描くことをオリジナルの表現スタイルとしているようです。

齋藤さんは2002年から「工房集」に通っています。

しかし工房集に通い始めたばかりの頃は、落ち着きなく動き回り、1分たりとも座っていられず、絵を描くどころではありませんでした。1日かけて丸や四角を五つ描くのがやっとです。織り物にチャレンジしても、織り機を動かす工程が理解できず、同じ動きを繰り返すことしかできませんでした。

そんな時に偶然出合ったのが「書」でした。

自分たちの施設の看板を制作するために、みんなで「集」の文字を書いてみたのだそうです。齋藤さんは学生時代から字を書く行為には慣れていたようで、それまで何もできないと思っていた齋藤さんが自信を持って書いたのです。その様子を見た施設の職員さんたちは、「齋藤さんの表現はこれだ！」と手応えを感じたそうです。

最初は職員が傍らに寄り添い、習字のように筆と墨を使って、お手本を見ながら一文字ずつ書いてもらっていました。しかし職員がちょっと席を離れると、齋藤さんは同じ紙の上に何度も何度

［あるある大辞典］齋藤裕一

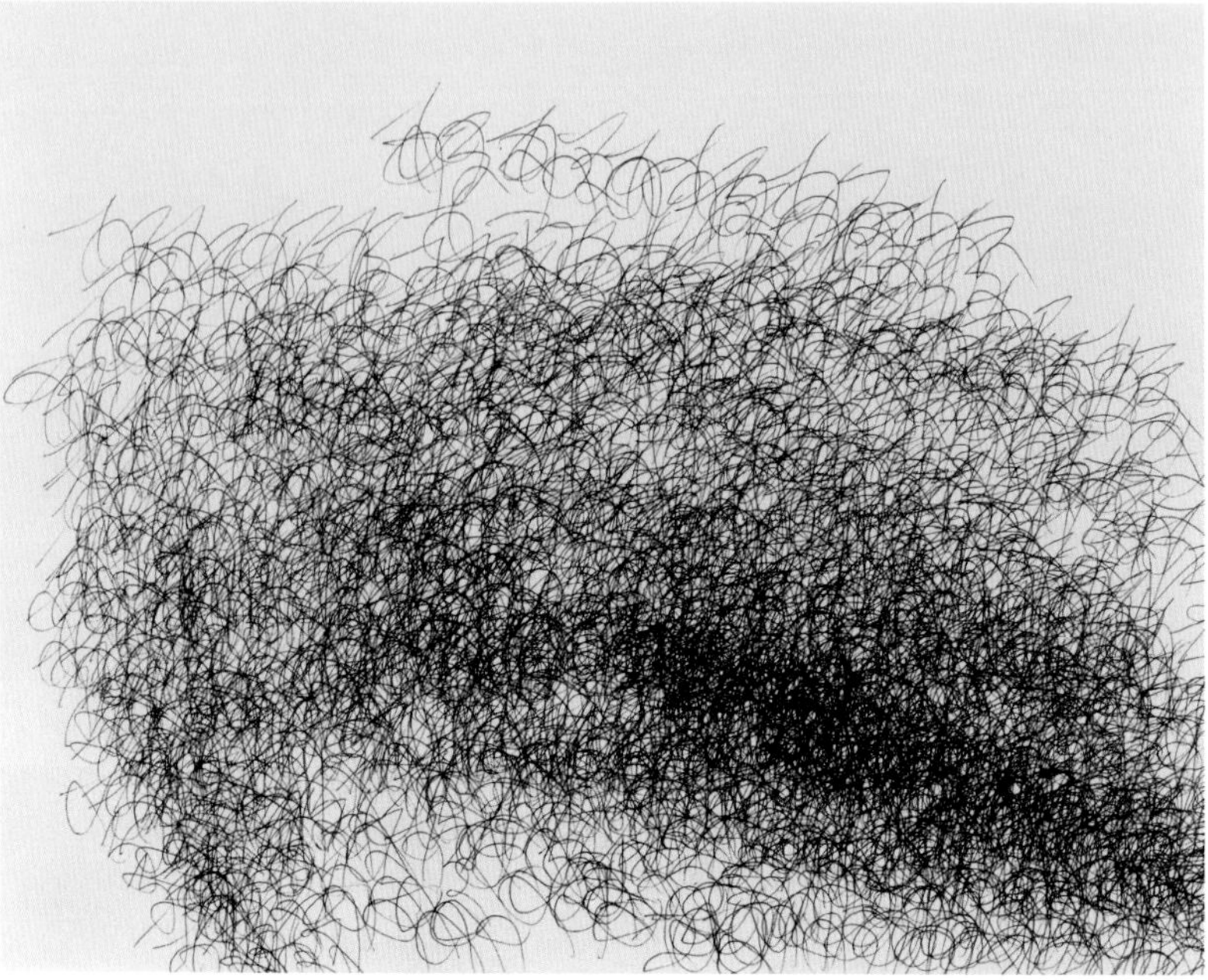

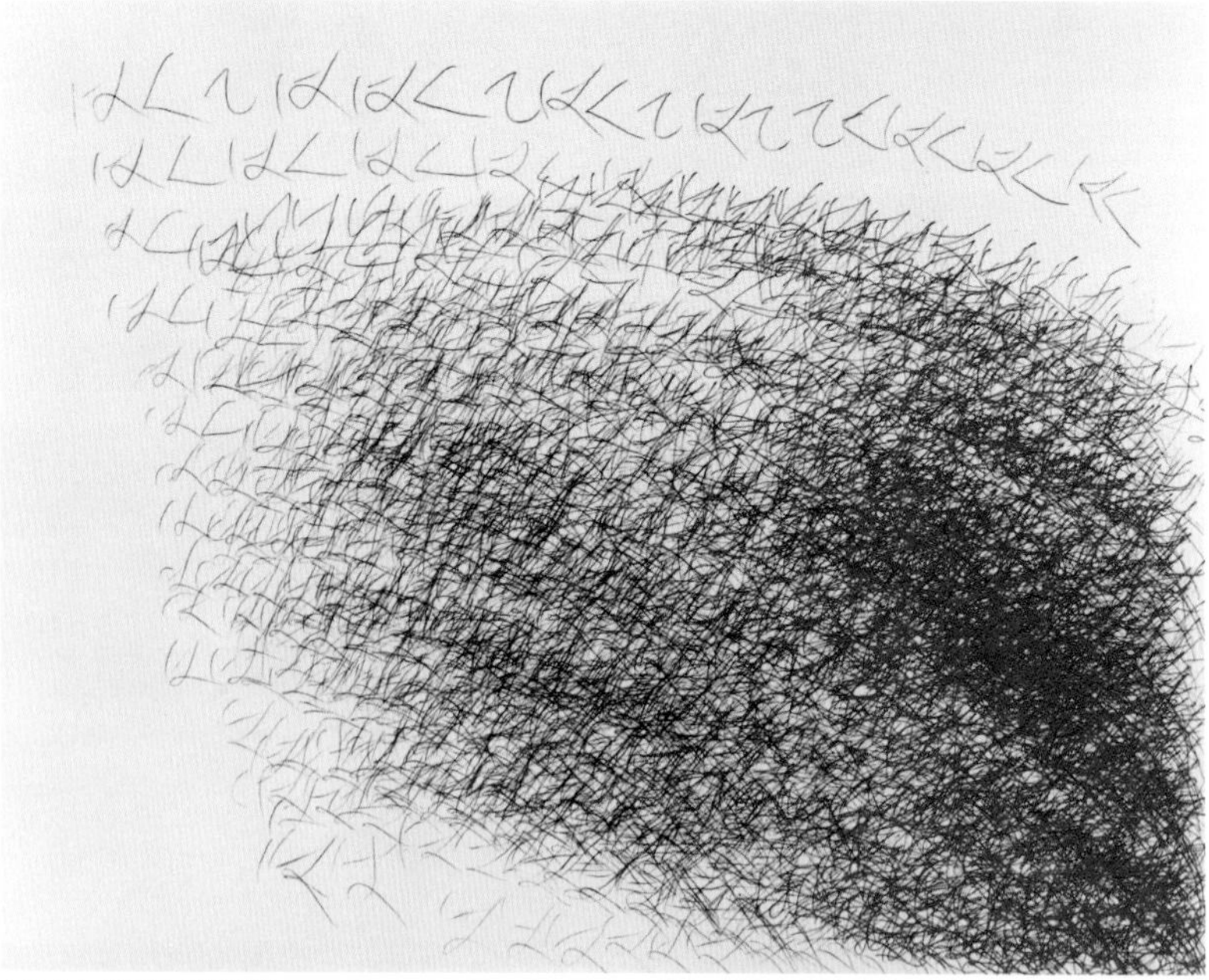

［はぐれ刑事］齋藤裕一

も重ね書きをしてしまい、紙全体が真っ黒になってしまったのでした。

そうした「失敗作」の中にちょっと面白い造形になっているものがあったので、いっそ書きたいだけ書いてもらうことにしたそうです。画材も筆からマジックや色鉛筆に変わり、最終的にはボールペンになりました。

描く題材も本人に任せていると、齋藤さんが好きなテレビ番組名の文字になっていきました。月曜日なら「コナン」、水曜日なら「はぐれ刑事」、金曜日なら「ドラえもん」という具合に、毎日楽しみにしている番組名を描きます。同じ文字を何度も何度も重ねて。

こうして、齋藤さん独自のスタイルが定着していったのです。描いている時は何かに取りつかれたように集中している様子で、そこにリズムが刻まれ、勢いが増していきました。一つ一つの文字は崩れていきますが、その崩れた文字が歌い、踊りだし、独特の造形が生まれます。

こうした表現活動は齋藤さんにとって、集中して取り組める大好きなこと。それが仕事となり、社会的な評価にもつながるとしたら、どんなにいいか。その思いは実現しました。発表の場を持つことができ、それが国内のみならず海外へと広がり、前述の通り、ジョルジュ・ポンピドゥー国立芸術文化センターに収蔵されて、世界中の人に見てもらえるようになったのです。

工房集からは、齋藤さんのほかにも、柴田鋭一さんというアーティストが生まれています。柴田さんの作風は、キャンバス地にジェルインクのボールペンで彩色していくというもので、代表作となった「せっけんのせ」シリーズを描きだして25年になるそうです。その柴田さんの作品も、ジョルジュ・ポンピドゥー国立芸術文化センターにコレクションされています。

齋藤さんや柴田さんの場合に限らず、アート創作活動というものは、その創作過程や社会の評価を通して、その人自身を成長させていきます。さらに、障がいのある人にとっては、言葉にならない思いを伝える大切なコミュニケーション手段であり、自分らしさを発見する行為でもあるのです。描いたものを人に見てもらうことで接点が生まれ、社会とつながる第一歩となります。作品が認められると自己肯定感が芽生え、生活が落ち着き、問題行動が減っていくという話もよく耳にします。福祉の手法だけでは実現できなかったことを、アートの力を借りて実現できたのです。重度の知的障がいがあっても、いや、あるからこそ、アートの創作活動および周囲との対話はとても重要な営みなのだと考えます。

私も思春期には、好きな人の名前を自分の部屋で密かに何度もノートに書き、深いため息をついていた記憶があります。その人を想像しながら繰り返し書くことで、大好きな気持ちを確かめていたのです。プラトニックで純情な行為でした。

齋藤さんや柴田さんのアートは、そうした言葉にならない密やかな愛情を、文字や色を重ねるという行為に託した、ナイーブで純粋なものだと思います。

妻の死により、私自身が鬱病となる

私は、今から17年前の2006年4月に妻を亡くしました。大腸がんの再発でした。再発すると助からない病気だと分かっていたので、当時中学2年生と小学4年生の息子たちをどのように育てるか、妻とじっくり話し合い、その時が来ても混乱しないようにと心の準備をしていました。

主治医から、家族と過ごす一日一日を大切にしてくださいとアドバイスを頂きました。その助言に従うまでもなく、一緒に買い物に出かけたり、家族旅行をしたりして、楽しい思い出をたくさんつくり、病気のことはなるべく忘れるように心掛けていました。しかし刻々と近づく死別の時を思うと、とても平常心ではいられません。

そして、ついにその時が来てしまいました。大切な人を目の前でみとるのは、想像していた以上につらいことです。別れのショックと悲しさに心は深く傷つき、毎晩独りでメソメソ泣いていました。心は深く沈み、どうして神様は私ではなく彼女を選んだのかといったことを繰り返し考え続けました。ふと気が付くと、テレビでお笑い番組を見ても、誰かと会話をしても、笑うことができなくなっていました。楽しいと感じる心がどこかに消えてしまったのです。

「鬱病」になっていました。

それでも2人の息子をちゃんと育てると約束をしたので、朝早く起きて弁当や朝ご飯を作り、大学での仕事も休むわけにはいかないので歯を食い縛って生きていました。

精神的に追い込まれて鬱病になり、生きづらさのあまりに自殺してしまう人がいますが、そうしたつらさを私も身をもって経験しました。

毎朝、洗顔する際に鏡の中の自分を見ても、そこに映っているのが自分だと実感できなくなっていました。人と会うことがつらくなり、独りでいる時間が多くなりました。デザイン界では展覧会のオープニングパーティーや学会の会合など、多くの人と接する機会がたくさんありますが、人に気を使って会話をする気持ちになれず、そうした所にはまったく顔を出せなくなりました。

これまでの人生、これからの人生について、悶々と考え続ける日々でした。生きづらさを抱えながら、何とか元の自分に戻りたいと苦しんでいたのです。そんな、まさに沼の底でもがいている時に偶然手にした本が、著名な写真家である渡邊奈々さんの『チェンジメーカー 社会起業家が世の中を変える』（日経ＢＰ）だったのです。

渡邊奈々さんは、本気で世の中を変えようとしているチェンジメーカー、つまり社会起業家たちにインタビューを重ねて、これまでとは違う新しい生き方、職業観を持った人々の生の声を本としてまとめました。

チェンジメーカーとは、ソーシャルベンチャーと呼ばれる新しいタイプの社会事業やNPO、NGOを立ち上げた人のことを指します。社会問題を解決するための仕組みや組織をつくり、事業として継続し、成果を挙げている人たちです。デザインの力を活用してアプローチがなされることもよくあり、そうした活動を「ソーシャルデザイン」と呼ぶのだと、この本から学びました。

その頃の私が手掛けていたのは、広告を中心とする商業的なデザインでした。人の何倍も努力を積み重ね、国際的な賞を取ることで自分の価値を上げ、収入アップにつなげることを30年近く続けてきました。

しかし広告というものは、社会の欲望を満たすためのデザインです。それよりも、社会問題を解決するための「ソーシャルデザイン」というものにチャレンジしてみたい。見えない力にドンと背中を押されたような気持ちでした。

沼の底にいるようなつらい精神状態から脱け出すには、新たな挑戦をするしかないのです。もう一度ポジティブな自分を取り戻すために、ソーシャルデザインに挑戦です。問題を抱えている人々が笑顔になるデザイン活動をすれば自分も元気になれると考えました。

世界で大きな潮流となっている「ソーシャルデザイン」ですが、日本は残念ながらその分野の後進国です。私は残りの人生を懸け、当事者だけでは解決できない社会課題に対して「社会モデル」を構築し、「デザインの力」で解決することを決心しました。

2009年、生き方も働き方も「ソーシャルデザイン」にシフトしました。その当時、「福島デザイン」はスタッフを5人抱えていましたが、「広告の仕事にピリオドを打ち、今後はソーシャルデザインだけを探求する」と伝えました。しかし、売り上げの見込みはまったく立っていません。社員に給料を支払えなくなるので、「次に働く場所をそれぞれ探してほしい」と告げました。

2010年にはスタッフ1人だけを残して、福島デザインは新たなスタートを切りました。私自身も鬱から脱出するための挑戦でもありました。

ソーシャルデザインを実践するに当たり、まずは課題の発見が必須です。最初に頭に浮かんだのが、障がいのある人々のアート活動を支援することでした。

障がいのあるアーティストは、自分の作品を社会に売り込むことが難しいため、ご家族や福祉施設が適切にサポートしていくことが必要とされます。その一翼を担いたい。障がい者アートを社会に届け、その価値を高めたい。障がいのある人もない人も、誰もが自分の可能性や能力を発揮できる社会へとつなげていきたい。バリアフリーでフラットな、対等の関係で共に暮らせる「共生社会」を目指したい。人権は皆同等。賃金体系も同等であるべきだし、生活の利便性の向上を図っていくことも、当然の権利として追求されていくべきだ。そうだ、そこから「新しい社会・新しい価値」の創造をしていこう。

私のソーシャルデザイン活動は、こうして始まりました。

社会問題を解決する「ビジネスモデル」の構築

重度の知的障がいがある人や、介護なしには生活できない人は、自分の作品が社会で高く評価されても、その意味や価値を明確に理解できないことがあります。また、福祉施設やご家族の多くは美術界とは縁遠い場所で生活されていることが多いので、作品発表の方法や扱い方が分からず、途方に暮れていることがほとんどです。

作品が有する諸々の権利、著作権保護、適切な値付け、質の高い商品化といった問題に無頓着なまま作品を世に送り出してしまうと、作品の価値を下げてしまいます。アーティストの収入につながる可能性を失ってしまいます。

こうした状況を変えていくには、組織的なサポートが必要です。一時的なものではなく継続性を持たせることも大切なので、収益の上がる事業として継続可能なビジネスモデルを確立する必要があります。


障がいのある人たちが働く就労継続支援B型の福祉施設は全国各地にあり、約30万人の障がい者が通っています。そこで1カ月働いて手にする工賃(給料)の平均は、残念なことですが、たった1万6000円にしかなりません。障がいの程度に準じて障がい年金も支払われますが、両方を合わせても、10万円(子の加算なしの場合)にも届きません。自立して生活したいと思っても、まず無理でしょう。これが、先進国日本の福祉の現実なのです。

障がいのあるお子さんのご両親にお話を伺うと、将来に大きな不安を抱えていらっしゃることがよく分かります。「私たちが生きている間は、自宅で一緒に生活しながら面倒を見られますが、親を亡くした後、この子が人間として尊厳のある生活ができるのか心配でならない」と、口をそろえておっしゃるのです。

国もこの問題に対して法改正を行なうなど、さまざまな対策を講じていますが、抜本的な解決策を見いだすことができずにいます。全国のご家族や福祉施設も手をこまねいてじっと待つのではなく、長年にわたりさまざまなチャレンジを行ってきました。食品関連のモノづくりにチャレンジした「久遠チョコレート」のように、工賃アップと働く喜びを実現させた成功事例が少しずつ生まれていますが、ごく一部でしかありません。

障がいのある人には創作活動が好きな人がかなりの割合でいらっしゃいます。そこを何とかうまく生かしていきたいのですが、ご家族や福祉施設にはアートの価値や商品化に関する専門的な知識がありません。そのため、せっかくいい作品ができても、扱い方に悩むことになります。アートを使ったTシャツやバッグ、その他のグッズを商品化することや、アート作品そのものを販売する活動も行っていますが、在庫や流通の問題が重くのしかかり、工賃アップにつながっている成功例はごくわずかです。創作活動を収入に結び付ける仕組みを、日本中のご家族や福祉施設が希求しています。

障がいのある当事者からは、その人の個性に合うことを仕事とし、働きがいや自己肯定感を持てる働き方を実現していくことが望まれています。

フクフクプラス3人の仲間たち

前項でお話ししたような諸問題を解決していくためには、人と人のつながり、仲間づくりが大切です。そこで私は2016年から、2カ月に一度、自宅を開放して社会問題を扱った映画の上映会をするなど、ソーシャル・ランチ・ミーティングを開催していました。そこに集まった人々のつながりから、磯村歩と髙橋圭の2人に出会いました。

偶然の出会いでしたが、われわれ3人がそろったのは、今思えば神の采配だと感じられます。私たちはそれぞれに、障がいのある人の創作活動をサポートしていましたが、1人で活動することに限界を感じていました。そんな思いや苦労を語り合い、時には朝まで議論しました。そして、1人では突破できなかったことを3人の知恵と力を合わせて挑戦することに決め、起業することを誓い合ったのです。

こうして2018年3月、磯村、髙橋、私の3人が共同代表となり、株式会社フクフクプラスを立ち上げました。魅力的なアートを描く障がいのあるアーティストが全国にたくさんいらっしゃいます。そのアートを効果的に使った事業を成功させれば、国を挙げて取り組んでいる低賃金問題の解決につながるはずです。

事業プランの第一に挙がったのが、アート作品のレンタルです。1万2500点と日本で最も質が高く、多くの作品を保有する「エイブルアート・カンパニー」（※1）というNPOと包括的な契約を結び、作品データを活用できるようにしました。使用料をお支払いすることで、障がいのあるアーティストの収入支援・社会参加につなげるビジネスモデルです。

数百万円を投じてノベルティ製作も行ってみましたが、ノベルティビジネスはすでに世の中に多数あるため、思うように売り上げにつながりませんでした。アートの魅力を生かした新しいサービスや商品開発が必要だと痛感しました。

ある時、ちょっと面白そうなアート鑑賞会が開かれていることを知りました。渋谷の住宅街にある「はたらける美術館」の個室型ワークスペースで、「ART for BIZ」という絵画鑑賞プログラムが開催されていたのです。高橋と磯村は早速体験に行きました。

2人に感想を聞くと、「これまでの美術鑑賞とはまったく違っていた」と興奮気味です。「ファシリテーターが簡単な質問を投げ掛けながら行うアート鑑賞で、質問によってアートの見え方や感じ方がまったく変わる」「面白かった」「こうしたアート鑑賞があることを初めて知った」。

私たちは障がいのある人の描いたアートを使った新しいビジネスモデルを模索中だったので、その対話型鑑賞プログラムにとても興味を持ちました。

調べてみると、「ART for BIZ」はMoMA（ニューヨーク近代美術館）が開発した鑑賞プログラムを基に、美術教育学者である日本体育大学・奥村高明教授の監修の下、独自に開発された絵画鑑賞プログラムであることが分かりました。アートを10分間じっと見ながらファシリテーターと対話することで、通常のアート鑑賞にとらわれない自由な感じ方や想像力を引き出すという内容です。

奥村教授の著書『エグゼクティブは美術館に集う』（光村図書）によると、ニューヨークでは今、高級なスーツを着たヤングエグゼクティブとおぼしき人々が、ただ教養を高めるためにではなく、仕事をしていく上で起こるさまざまな問題を予見し、行き詰まりを打破する力を得ることを目的に、美術館通いをしているというのです。

「美術鑑賞は知識や教養を養うこと以上に脳を活性化させ、複合的な問題を解く能力を身に付けられる」と本に書かれていました。「対話型鑑賞」では、視覚から入った情報と対話による刺激の相乗効果で脳が活性化し、観察力や創造的思考力を高められるとも書かれていました。私は直感的にフクフクプラスの新たなサービスとなる可能性を感じ、障がい者アートに特化した「対話型アート鑑賞」プログラムの研究開発をスタートさせました。

フクフクプラスの出張スタイルの「対面型アート鑑賞」実施風景

「対話型アート鑑賞」の魅力と効き目

あなたが美術館へ行くのは、年に何回ですか？　せいぜい2、3回？　あるいは、この前いつ行ったのか覚えていない？

一般の人は、それほど頻繁には美術館に足を運びません。

世界で最も影響力のある近代美術館といわれるMoMAも、その点では悩みを抱えていました。MoMAはニューヨーク市が運営していますが、一部の美術愛好家だけではなく、もっと幅広く、多くの市民に美術館を訪れてほしいと願っていたのです。

そこで、アート鑑賞というものに対するこれまでの概念を大きく変える、新たな鑑賞方法を考案しました。美術の知識をまったく必要とせず、アートを楽しみながら学びを得る「対話型鑑賞」というもので、「VTS（ヴィジュアル・シンキング・ストラテジーズ）」と呼ばれています。

この「対話型鑑賞」は、すでに全米100以上の美術館や博物館で実施されている他、300以上の教育機関に採用されています。フクフクプラスの「対話型アート鑑賞」も、MoMAのスタイルをベースとし、独自に改良、進化させた革新的なプログラムに仕上げています。

ＭｏＭＡのＶＴＳは名画を使用しますが、フクフクプラスは障がいのある人が描いたアートを使います。ＭｏＭＡのＶＴＳに参加するには美術館まで出掛ける必要がありますが、フクフクプラスは参加者の集まる場所にアートを持って出張します。ＭｏＭＡのＶＴＳは一つの質問を繰り返しますが、フクフクプラスは人材育成に効果的な多様でユニークな質問を考案しました。

ＭｏＭＡのＶＴＳでは、基本となる質問を何度も繰り返します。

［1］この絵の中で、どんなことが起こっていますか？
［2］あなたは、何を見てそう言っているのですか？
［3］もっと発言はありますか？

この三つに加えて、フクフクプラスはさらに複数の、効力のある質問を考案しました。

私は20年にわたり、東京工芸大学のデザイン学科でアクティブラーニングを用いた教育プログラムで創造的な思考力を強化してきました。その結果、学生たちは国内外のコンペで驚異的な記録を打ち立てました。そうした実績を生み出した思考法を余すところなく投入しました。

37ページの写真のように、参加者にはアートを囲んで座っていただき、専門のファシリテーターが全体の進行を行います。ファシリテーターの存在はとても重要です。笑顔を大切にし、参加者がどんなことでも自由に発言できる「心理的安全性」を確保できるよう、場の雰囲気を和らげていきます。そしてフクフクプラスが考案したさまざまな質問を投げ掛け、一人一人の個性や想像力をポジティブに引き出します。

「対話型アート鑑賞」には正解も不正解もありません。同じアートを見ているのに、気になる部分や発見したことが各自違っていて良いし、むしろ違うことが大切です。参加者の数だけ答えがあり、その多様性が面白いのです。

何かに気付き、感じ、想像を膨らませていくことが大事です。それを参加者同士がシェアすることで、新たな創造性が発火します。その火に油を注ぐのがファシリテーターの役割です。

最終的な目標は、参加者に「観察する力」「自分で気付く力」「創造的な思考力」「コミュニケーション力」「多様性を楽しむ力」などを獲得してもらい、障がいのあるアーティストのファンになっていただくことです。

「ダイバーシティー」という言葉をよく耳にするようになりました。「多様性」と訳されることが多いようです。これを単に言葉の意味だけ知り表面的に理解するのではなく、例えば新しいアー

オンラインスタイルの「対話型アート鑑賞・アートでおしゃべり」実施風景

ト鑑賞体験を通して、多様性の本質を理解しようとすることが大切だと思いませんか。

昨今のコロナ禍では、オンラインを使ったミーティングが急増しました。

わざわざ出張しなくてもオンラインミーティングで打ち合わせが可能になったのは便利である半面、人と人とのつながりやコミュニケーションが希薄になってしまったようです。リアルに対面すれば、ミーティング終了後にランチを一緒に食べに行くこともできますし、ミーティング前後の雑談も人間関係を良好に保つための大切な時間となるのに、そういう貴重な機会が失われてしまうのはとても残念です。

人材育成のツールとしても強力

お互いに気心が知れている仲ならばオンラインでも問題ありませんが、初対面の相手だと、希薄な関係のまま仕事を続けていかざるを得ません。お互いを理解していない、信頼関係が醸成されていないチームでは、本気で議論することは難しいと思います。

家庭においても、子どもたちはテレビゲームやYouTubeに夢中になっていませんか。そんなふうに「近頃ちょっとコミュニケーション不足かな」と思う時にこそ、親子で、そして職場の仲間で、「対話型アート鑑賞」を試してみてほしいのです。

アートはキャンプファイアーのように、参加者の気持ちを温めて一つにし、心をワクワクさせます。誰もがきっと、アートを見ながらいつまでもおしゃべりをしていたくなるでしょう。居心地の良い時間と空間をみんなで分かち合うことができるからです。対話を大切にすることで周りの空気が和らぎ、明るくなり、お互いの個性や人柄をより深く理解し合えるはずです。

文部科学省が世界最高水準の教育研究活動の期待される大学を指定する「指定国立大学法人」という制度があります。それに選ばれている東京工業大学大学院のリーダーシップ教育院での授業として、2018年よりフクフクプラスの「対話型アート鑑賞」を毎年実施しています。

大学院では、海外から優秀な留学生を受け入れ、グローバルに活躍できる人材育成のため、ほぼ全ての授業を英語で行うようになりました。

留学生は国籍も個性も多様ですし、日本の生活にも慣れていない人もたくさんいます。プログラム開始前の「どんなアート鑑賞が始まるのだろう」といった少し緊張感のある空気とプログラム終了後に学生同士が楽しそうに感想を話し合う柔らかな空気を比べると、「対話型アート鑑賞」の特性がダイバーシティーを実現させるために有効に機能していることを実感します。

フクフクプラス「対話型アート鑑賞」の七つの特徴は次の通りです。

［1］心理的安全性を確保して、リラックスできる時間と空間を生み出す
［2］参加者の発するすべての言葉をポジティブに受け止める場をつくる
［3］観察力、創造的思考力、コミュニケーション力を最大限に引き出す
［4］脳のさまざまな部位を刺激し、新たな発想力や価値観を手にする
［5］チームビルディングにおける対話の重要性とその可能性を知る
［6］障がいのある人やアートから人間の可能性を知り、さまざまな学びを得る
［7］アートを通して、すべての人々が平等であることを理解する

フクフクプラスの「対話型アート鑑賞」は、観察力や創造的思考力を高めるだけでなく、自己肯定感を高め、お互いの人柄をポジティブに理解できるようにしています。

企業にとっての大問題、数値では測りにくい社員のメンタルヘルス維持にも効果を発揮します。「対話型アート鑑賞」を体験することで、仲間の重要性が理解でき、理想的なチームビルディングができるようになっていきます。仕事を進める際のミスやトラブルが防ぎやすくなるばかりか、個々のモチベーションを高め、能力を引き出す上でも有効です。

東日本大震災に始まり、コロナ禍、ロシアのウクライナ侵攻など予測不可能なことが次から次へと起こっています。知識や経験だけでは乗り越えることが困難な時代だからこそ、「アート思考」に社会的な関心が集まっています。創造的な思考力や信頼でつながる強いチームが必要とされています。

人材育成の観点からも、「対話型アート鑑賞」は効果的です。「自分で課題を発見し、解決する人」を育てることが必要とされています。未来を予測するのではなく、「未来を構想し、実現へ向けて行動できる人」を時代が求めているのです。

（※1）エイブルアート・カンパニー：2007年、障がいのある人がアートを仕事にできる環境をつくることを目的に設立。障がいとアートを軸に活動している三つの団体が共同で運営している。エイブルアート・カンパニーと契約している作家は、自らの表現の可能性をひらいていきたいと思う人たちの中から、全国公募により選考している。契約している作家の作品（絵画・イラスト・書など）を、広告や商品のデザインに使用することを仲介し、仕事につなげている。日本中の障がいのある人たちのアートが、自己実現と社会参加の側面だけでなく、仕事（収入）につながることを社会に提案する事業を展開するトップランナーである。

アートの歴史を変えた出来事

ご存じの方も多いと思いますが、パリにあるジョルジュ・ポンピドゥー国立芸術文化センターはフランス国立の近代美術館で、10万点以上の作品を所蔵し、近現代美術のコレクションとしてはヨーロッパ最大、世界ではニューヨーク近代美術館（MoMA）に次いで2番目のスケールを誇っています。

そのアートの殿堂に、世界的に著名なアール・ブリュットのコレクター、ブリュノ・デシャルム氏のコレクションから、242人のアーティストの作品・約1000点が寄贈されたそうです。寄贈に伴い、ポンピドゥー・センターは「アール・ブリュット部門」を正式に開設することにしました。これは2021年のビッグニュースでした。

「アール・ブリュット」とは、「生《き》の芸術」というフランス語です。正規の芸術教育を受けていない人による、技巧や流行にとらわれない自由で無垢な表現をたたえて、

ジョルジュ・ポンピドゥー国立芸術文化センター

1945年にフランス人画家のジャン・デュビュッフェが創り出した言葉です。

ジョルジュ・ポンピドゥー国立芸術文化センターのアール・ブリュット・コレクションには、なんと、福祉施設のアート活動において日本を代表する「やまなみ工房」(滋賀県甲賀市)や「工房集」(埼玉県川口市)に在籍するアーティストの作品が選ばれています。前述の齋藤裕一さんと柴田鋭一さんもその中に選ばれたアーティストです。

日本のアートの歴史を振り返ってみると、独創的なアーティストが出現してもなかなか認められず、海外で評価されてようやく国内で認められるという「逆輸入パターン」が続いています。障がいのあるアーティストも同じ道をたどっているようです。

海外ではアール・ブリュットの作品が数千万円の価格で取引されていますが、日本ではまだアートとして認めない美術の専門家が多いというのが現状です。

ジョルジュ・ポンピドゥー国立芸術文化センターに「アール・ブリュット部門」が開設され、常設展示室がオープンすることは、世界の美術史を変える出来事です。このことにより、日本でも障がいのあるアーティストやその作品に対する評価を見直し、革新していくことが待ち望まれます。

第2章

「対話型アート鑑賞」を紙上体験

障がい者アートと対話してみよう

フクフクプラスの「対話型アート鑑賞」を体験していただいた参加者の皆さんに感想を伺うと、「予想していた以上に面白かった」「みんなの発言を聞くことが楽しかった」「これほど盛り上がるとは思わなかった」と興奮気味に語ってくれます。さまざまな参加者の多種多様な感性に触発され、誰しも心が高揚するのです。人と人は違っているからこそ面白いし、全体として豊かな世界になっていくのだと私も捉えています。

「美術鑑賞の概念が変わった」「時間をかけて鑑賞することがこんなにも楽しいものだと初めて知った」といった声もあり、その他、「障がい者に対するイメージが変わった」「人間の持っている可能性に驚いた」「障がいのあるアーティストがどうしてここまで緻密な表現ができるのか知りたくなった」という声も多数寄せられています。

障がいのある方々はどうして豊かな表現力を持っているのか。そのエネルギーはいったいどこから生まれてくるのか。私も、もっともっと知りたくてたまりません。だからアートと対話し、自分の心と対話し、アート鑑賞という体験を皆さんと共有していくのです。どれもすごく刺激的で楽しくて、思わず笑顔になり、晴れ晴れとした気持ちになっていきます。その素晴らしさ、気持ちよさを、この本を通して一人でも多くの方に伝えられたら幸せです。

早速読者の皆さんに、『脳が脱皮する美術館』を本の中で疑似体験してもらいましょう。

ここで紹介する鑑賞会は、２０２３年９月に行われました。参加者は７人で、出版社の呼び掛けに応じて集まってくれた有志の方々です。内訳は男性２人、女性５人で、教育の仕事に従事されている方、アートのワークショップを主宰している方、障がい者アートに精通する財団の関係者の方、そして障がいのあるお子さんを持つ当事者の方などです。

開始時刻が近づくにつれ、参加者が続々と会場に到着しています。皆さん初対面のはずですが、お互い目が合うとニコッとほほ笑んで軽く会釈をしたりして、静かに席に着きます。イーゼル(画架)にセットされた額装アートを取り囲むようにして、半円形に広がって椅子に腰掛けていただきました。

さあ、いよいよ対話型アート鑑賞会の開始です。今回のファシリテーターは、私と共にフクフクプラスの共同代表を務める髙橋圭が担当します。身びいきに聞こえるかもしれませんが、彼はとても人柄が良く、物腰は柔らかく、説得力に富む温かい話し方ができる好青年です。

ファシリテーターの髙橋が場の中央に出てイーゼルの傍らに立ち、あいさつを始めました。

「皆さん、こんにちは。本日のファシリテーターを務めるフクフクプラスの髙橋圭です。よろしくお願いいいたします」。いつも通り、いい感じの声と口調でスタートを切りました。

ここから先、会場でどんなやりとりがあったのか、文字だけでは存分に表現し切れないもどかしさはあるものの、できる限り忠実に再現したいと思います。（　）内の言葉は、会場の最後列で全体を見ていた私、つまり著者・福島治の心の中のつぶやきだと思って読んでください。

同じ絵でも、人それぞれ見え方が違う

髙橋　では早速、本日最初のアート作品を見ていただきます。ちょっと変わった姿の人物や不思議な生き物が、色とりどりに描かれていますね。

この絵を、今から3分かけてじっくりと観察し、今のあなたに近いもの、あなたの心境を表していると思うものを探してみてください。人でも動物でも、何でもいいですよ。

さあそれでは、ぜひとも作品の近くに来て、よくご覧になってください。

――（参加者一同、「なんだこりゃ!?」と言いたそう。軽く動揺している気配が皆さんの背中からもうかがえる。「こりゃ普通の美術鑑賞とは違うぞ」と、早くも気付いた様子。でもきっと興味津々なんだよね。みんな立ち上がって絵に近づき、食い入るように見ている）

髙橋　はい、3分たちました。ご意見・ご感想を発表していただきます。（場内ざわざわ）
お一人ずつ順番に前に出て、絵の横に立ってください。そして「今の私はこれ」と指で示して、なぜこれを選んだのか、理由を教えてください。その後で自己紹介をお願いいたします。
それでは、右端の方からどうぞ。

工藤　宇都宮から来ました工藤と申します。私の現在の心境を表しているのは、この髪の毛がピンクで顔は横向きだけど目は正面向きでバッチリ開いているこの人です。今日は先入観を持たずにバッチリ心を開いて、新鮮な学びを得たいと考えているのでこの人を選びました。

それと、中心は苦手なので少しだけ外れた場所にいるこの人にしたんです。

私はデンマークの教育や福祉における対人支援職「ペダゴー」の研究をしています。デンマークではさまざまな形でアートの要素を教育に取り入れているので、ぜひ学びたいと思い参加しました。（拍手）

小谷 川崎市から来ました小谷です。美術の教員の仕事を3年前に退職し、現在は芸術を使って子ども向けのさまざまな教育プログラムを行っています。私の今の気持ちは、一番下にいる黄色の体で水色のドット模様が付いている宇宙人のようなキャラクターの、これです。左手を上げて、「はーい、みんな!」ってポーズを取っています。私、昨日はラップのワークショップに参加したので、その影響が残っていてラッパー風のポーズに目が留まったのかも。(会場内は笑いと拍手)

内木 初めまして、内木と申します。ウッチーと呼んでください。私は障がいのある子どもたちがキッズモデルとして活躍できるように応援するモデル事務所の代表をしています。障がい者と社会の接点を増やしたいと思って活動しています。障がいがあっても堂々と生きられる社会をつくりたいと考えているんです。ただ今ダイエット中で、クッキーやチョコを食べたいという欲求が強いので、この絵の真ん中にいるくちばしが三角の七面鳥のようなこの子を選びました。頭の所にクッキーが貼り付いているように見えるんです。そこから目が離せなくなったので、このキャラクターにしました。(みんな爆笑・拍手)

対話型アート鑑賞実施風景

武藤　千葉県から来ました武藤です。全国展開をしているIT系の商社で役員をしています。僕の娘も障がいがあるので、障がい者アートを使ったプログラムと聞いて関心を持ちました。僕が選んだのは、この人。最初からこの人しか目に入りませんでした。真ん中で一番デカイ顔をして、赤い斜線の入った存在感のある丸い顔のキャラクターです。僕も、こう見えて実はリーダーシップがあるんです。（再び会場笑い・拍手）

大入　神奈川県から来ました大入です。私の息子は気管切開をしている元気な医療ケア児です。私はこの右下にいる人、誰かの赤い手が片目を隠しているけど、それでもバッチリ見えていそうなこの人を選びました。私は思いが強くて、つい視野が狭くなったり、人の影響を受けやすいところがあるので、片目は自分の視点、もう片方の目は別の人の視点になっているような感じの、この人を選びました。（拍手）

山田　新宿から参加している山田です。以前は日本財団で障がい者アートに関係する業務に携わっていました。現在はＮＰＯを支援する財団の仕事をしています。個人的に「東京芸術鑑賞金曜夜行倶楽部」を密やかに行っています。フェイスブックで参加を呼び掛けたりしてますが、実は一人で鑑賞する方が好きなんです。（会場忍び笑い）僕はこの人を選びました。仕事柄、いろいろな人をサポートしているからかな。真ん中にいて周りを見渡しながら、一歩引いて冷静に物事を見ているこの人にしました。（拍手）

前川　初めまして、前川と申します。立つと背が高いので、よく身長を聞かれます。（会場爆笑・一部拍手）

10年以上にわたり、都内の中学で教えていましたが、千代田区立麹町中学校で校長をなさっていた工藤勇一先生の教育理念に感銘を受け、今年から工藤校長の下、横浜創英中学・高等学校で教えています。

学校教育においても、対話というものはとても重要なキーワードだと考えています。私は左端ギリギリの所にいる口の周りが緑色でその上に目玉が二つ付いているこの人を選びました。よく見ると顔の上に紺色の不思議な空間があります。この人はその空間から、人間の世界を俯瞰《ふかん》しているんじゃないかなと感じました。（拍手）

高橋　（拍手をしながら）はい、皆さんありがとうございました。同じ絵を見ていても、気になるものや選ぶキャラクターがそれぞれ違っていました。

――(うん、見事にバラバラだったね)

髙橋　アート鑑賞には、正解も不正解もありません。同じアートを見ているのに、人によって気になるポイントが違い、想像することが違う。違っていていいんです。

そこがとても面白いと思いませんか。自分が感じていることよりも、むしろ他人の感じていることやその発言の方に興味を引かれ、そこからさまざまな気付きが生まれることもよくあります。

ちなみに、これは観察力と想像力を鍛えるプログラムなんです。よく観察すると、気になるポイントが幾つも見つかります。そこからどんどん想像が膨らんでいきます。

そうした想像や観察して気付いたことを発表し合うと、個々の違いが明確になりますね。人それぞれの感性の豊かさを知り、理解し、共感することって大切です。ちょっと難しい言葉で言うと、立場の違いを相対化すること、主観的な価値観を相対化することでそれが「多様性の受容」へとつながっていくのだと思います。

個々に異なるものをつなげるのもアートの力

髙橋　ところで、今日は皆さん初めて会う人同士なので、少し緊張しているかもしれませんが、そこにアートがあるとコミュニケーションがスムーズになるような気がしませんか。アートのおかげで楽しく和やかに自己紹介をしていただけたんじゃないかと思います。

（皆うなずく）

――（目の前にアートがあると、アートを通して自然に自分のことを話せてしまう。ほんとうに不思議ですよね！）

髙橋　皆さんに見ていただいたこの絵は、長野県安曇野市に在住のカミジョウミカさんの作品で、タイトルは「人ひとヒトだらけだよ」です。

カミジョウさんは、常染色体劣性遺伝性疾患アノーゼティック異形成症（世界で5人のみの超希少難病）という関節の病気が悪化して入院しました。19歳の時に入院していた病院の主治医や看護師、理学療法士の顔をデフォルメして描いてみたら、その作品が評判になって、そこから独学で本格的に絵を描き始めたそうです。

現在は、自宅のアトリエでアクリルガッシュやオイルパステルなどを使い、空想画や抽象画を描いています。またパソコンを使って、空想から生まれるキャラクターを描き、オリジナルグッズなども制作しているんですよ。自分の頭の中に浮かぶ「カラフルな空想の世界」と「夢の世界」をテーマとして創作を続けています。

カミジョウさんは自分でも信じられないような不思議で面白い夢をよく見るそうです。病気のため、目覚めてすぐには体が自由にならないので、その間に夢をしっかりと記憶に焼き付けて、体がほぐれてから描きだすそうです。見る人の気持ちを明るくする作風と不思議な世界観が大好評で、長野県では大人気のアーティストです。

——（通常の美術鑑賞では、「誰がいつ、どんなふうにして描いたのか」「作品タイトルは何か」など、作品に付随する情報を知ることから始まるよね。でも「対話型アート鑑賞」では、そうした情報は全て伏せて実施する。何も知らないまま、ただ作品だけを徹底的に「見て、感じて、言葉にする」ことを行っていくことが大事。作者について知るのは、その後でいい。だからここでも、作者紹介は最後にしたんだ）

他者理解と多様性の受容

髙橋　アート作品と向き合うときは、その作品に対する情報が事前にあってもなくてもよいのですが、ない方がむしろいいということもあるんですね。前提に縛られないので、より自由な見方ができるし、発想が広がっていくと思うんです。

では次に行きましょう。じゃじゃーん、こちらのアートです。（64ページ）

皆さん、このアートを3分間じっくりと鑑賞し、これを描いたアーティスト自身になったつもりで、タイトル（題名）を考えてください。右脳のスイッチをオンにする感覚でやってみましょうかね。発表する際には、どこからそれを思い付いたのか説明してください。

――（これはちょっと予想外の展開だったかな。みんな真剣そのものといった表情で、ググッと絵ににじり寄った。絵の真ん前に座り込んだ人もいる。人気の名画が展示されている美術館でも、ここまで懸命に鑑賞する光景はなかなか見られないよ）

髙橋　はい、3分たちました。今度は左端の方から順に発表していただきましょう。

前川　タイトルは「友情」と付けました。見た瞬間、スカーフを連想したんです。左側は首にちゃんと巻かれているスカーフのようでもあり、自分流に巻いているスカーフのようでもあり。右側のは、切り刻まれているスカーフで、心が傷ついている様子を表していると感じました。スカーフそれぞれの色や柄に個性が表れていると思います。その一枚一枚が若者の心の状態を表しているように思えて、「友情」にしました。（会場から「ほおっ～！」と声が上がる）

髙橋　意味深い説明で、つい聞き入ってしまいました。左側の表現を見て、切り刻まれた友情と比喩されたのには驚きました！（パチパチパチ拍手）

山田　僕は「カマキリと獲物」というタイトルにしました。昨日サントリー美術館で「虫をめづる日本の人々」という展覧会を見てきました。そのイメージが頭に残っているのかも。右側のは獲物を狙うカマキリで、左側のはチョウに見えました。カマキリの体って一般的には緑色ですが、獲物を狙う狂暴性をオレンジとグリーンで表現していると感じました。（なるほど、なるほど）

髙橋　これまた素晴らしい解釈ですね！　僕も、絵のこちら側にいるのが「狙われているチョウ」に見えてきました。

大入　私は「結ぶ」というタイトルにしました。ストールや風呂敷の結び方って本当にいろんな種類があるんですよね。このアートは、それを懸命に結んでいるように感じました。（うん、これもよく分かるなあ）

髙橋　なるほど、ありがとうございました。

武藤　題名は「子どもにネクタイを渡した後には」としました。私はネクタイが好きで、あらゆる柄のネクタイを持っているんです。この絵に描かれているのと同じようなのも持っています。それをもし、うちの子どもたちに渡したら、間違いなくこうなります。（ズタズタだね）このアートを見た瞬間にまず考えたのは、うちじゃ絶対に子どもたちが面白がってぐちゃぐちゃにするなということ。本当にメチャクチャにされるんです。（会場も髙橋も私も、みんなが笑う。笑った後、ほのぼの感）

高橋　言われてみると確かに、こういうデザインのネクタイありますよね。それに、子どもって何をしでかすか分かりませんよね！

内木　私は「90度」というタイトルを付けました。というのも、このままだとしっくりこないのです。ちょっとすみませんが、アートを縦にしてみてください。

高橋　分かりました。アートを90度回転して縦にしましたが、これでよいですか。

内木　ありがとうございます。この作品を創ったアーティストに失礼だとは思いますが、私にはこうやって見た方がしっくりくるんです。

高橋　確かに、こうすると上の右側が人の横顔に見えてきますね。内木さんの想像力には驚きました。（みんなもびっくりしているみたい）

小谷　自分がこの作品の創り手になったつもりで眺めてみたら、頭の中に音楽が流れてきたんです。色の塗り方にも、なんていうかこう、リズムのようなものを感じます。アップテンポのリズムですね。今の子どもたちの会話って本当にスピードが速いんです。ずっとしゃべり続けている子、「そうそう」って合いの手を入れる子もいて、そういうちょっと騒がしい感じの会話が聞こえるような気がします。だからタイトルは「子どもたちの会話」にしました。（言われてみるとほんと、「ワイワイ、ガヤガヤ」という感じが伝わる作品だね）

髙橋　形や色の塗り方にリズムを感じて、すてきなタイトルを考えてくださいました。会話からあふれ出る一人ひとりの個性に注目しているところがユニークで面白いですね。

――（ユニークだとどうして面白いのかな、と考えてみることも大切だね。同じアート作品を見ているのに一人ひとり感じ方や想像することがまったく違う。視点が違うってことだよね。それって驚きでもあるし、大切なことでもあるんだ。違っていること、多様であることが豊かさを生むもとであり、とても大事なことだから、私たちは皆違っていること、ユニークであることを認め合い、受け入れて、面白がれるんじゃないかな。そういうことを実感として理解できるといいね）

工藤　私がタイトルを付けるとすると「バトン」かなと考えました。最初はまず、民族衣裳をイメージしたんです。右側に民族の思想や文化が色や形となって現れていて、左側ではそうした概念を具体的な行動になぞらえて表しているという感じ。それを次の世代が受け継いでいくというイメージで、「バトン」にしました。（おお、壮大なイメージだなあ）

髙橋　とても文化的な解釈をなさっているので驚きました。これまで数え切れないほど鑑賞会を実施してきましたが、これほど多様な解釈でタイトルを付けていただいたことはありません。これは創造的思考力を鍛えるプログラムですが、皆さんの想像力があまりに豊かで知的なことにびっくりしました。（実際、タジタジ）

さて、このアートは埼玉にある福祉施設「工房集」の白田直紀さんが描いた「ゾウのむれ」というタイトルの作品です。

ごく普通の美術館だと、作品のすぐ近くに作品名やアーティスト名が表示されていますよね。アーティストのプロフィールや作品に込めた思いなどが記されていることもあります。しかしですよ〜、先にタイトルを知ってしまうと先入観にとらわれてしまいませんか。例えば「ゾウのむれ」とタイトルが付けられていると、「そうか、ゾウのむれなのか」と納得してしまい、それ以上は想像が膨らまないでしょう。

ピカソも言っています。「作品そのものがアートなのではない。見た人が感じる何かがアートであり、それは作品と鑑賞者との間に生まれるものなのである」と。だからというわけではありませんが、今回のように作品情報を伏せることで、鑑賞者は素のままの作品に向き合い、自由に楽しく対話をすることができるし、思いのままに想像を広げることができる、と私は思っているんです。

もう一つ大切なことがあります。自分以外の参加者が何をどう思ってどんなタイトルを付けたか、そういう話を聞くのって楽しいですよね。（参加者一同うんうんとうなずいている）同じ作品を見ているのに、人によって感じ方が違う。そういう違いを楽しみたい。そうすると、より深く作品を味わえるということに気付く。

つまり、他者理解の効用ですね。そこから、多様性の受容へとつながっていくと、すごくいいなと思います。いろんな人がいて、バラエティーに富んでいるからこそ社会は奥深く豊かなものになり、生きていくことが楽しくなると信じています。

――（いいこと言うなあ、髙橋。そこ大事だもんね）

髙橋　今回のタイトル付けのように、答えのない問いは世の中にいくらでもあります。正解は一つではなく、幾つもあってもいいんです。不正解なんていうものはありません。多様性、カタカナで言うと「ダイバーシティー」ですが、そういう大切なことを、アート体験を通して実感として理解していただけるのが、私たちの「対話型アート鑑賞」です。（よし‼）

枠組みの中では考え付かなかった「斬新な発想」

髙橋　それでは、次のアートを3分間ご覧ください。（72ページ）
じっくり観察すると、幾つもの気付きが得られることを皆さんだんだん分かってきましたよね。普段忙しい日常の中で見過ごしていることがたくさんあるなあって、そう感じられるようにもなってきたと思います。
さあここでは、このアートを見て何か違和感を覚えたり、不思議に思うことはないか、また、面白いと感じることは何かなどを三つ見つけてください。その上で、あなたにとって一番気になるキャラクターを探して、そこにセリフを付けてください。

では、よろしくお願いいたします。

——（参加者は再び椅子から立ち上がり、これまで以上に前のめりになってアートを観察している。しきりに首をかしげたり、腕を組んだりして真剣に考え込んでいる。一歩後ろに下がって全体像を俯瞰《ふかん》している人もいる）

髙橋　あと30秒で3分です。セリフは思い付きましたか。先ほどのタイトルを付ける質問に対して、皆さんさえた解釈で素晴らしい答えを出してくれたので、今回もどのような球を打ち返してくれるのか楽しみです。

それでは3分たちましたので、順に発表をお願いします。

武藤　ネットで話題の「中国の流れる映像」、ご存じですか。私はそれに見えました。ものすごくたくさんの像が描かれているのですが、中には疲れているのかな、顔のないキャラクターもいます。

ポケモンが攻撃している場面というか、画面はチカチカして目に悪いと問題視されている

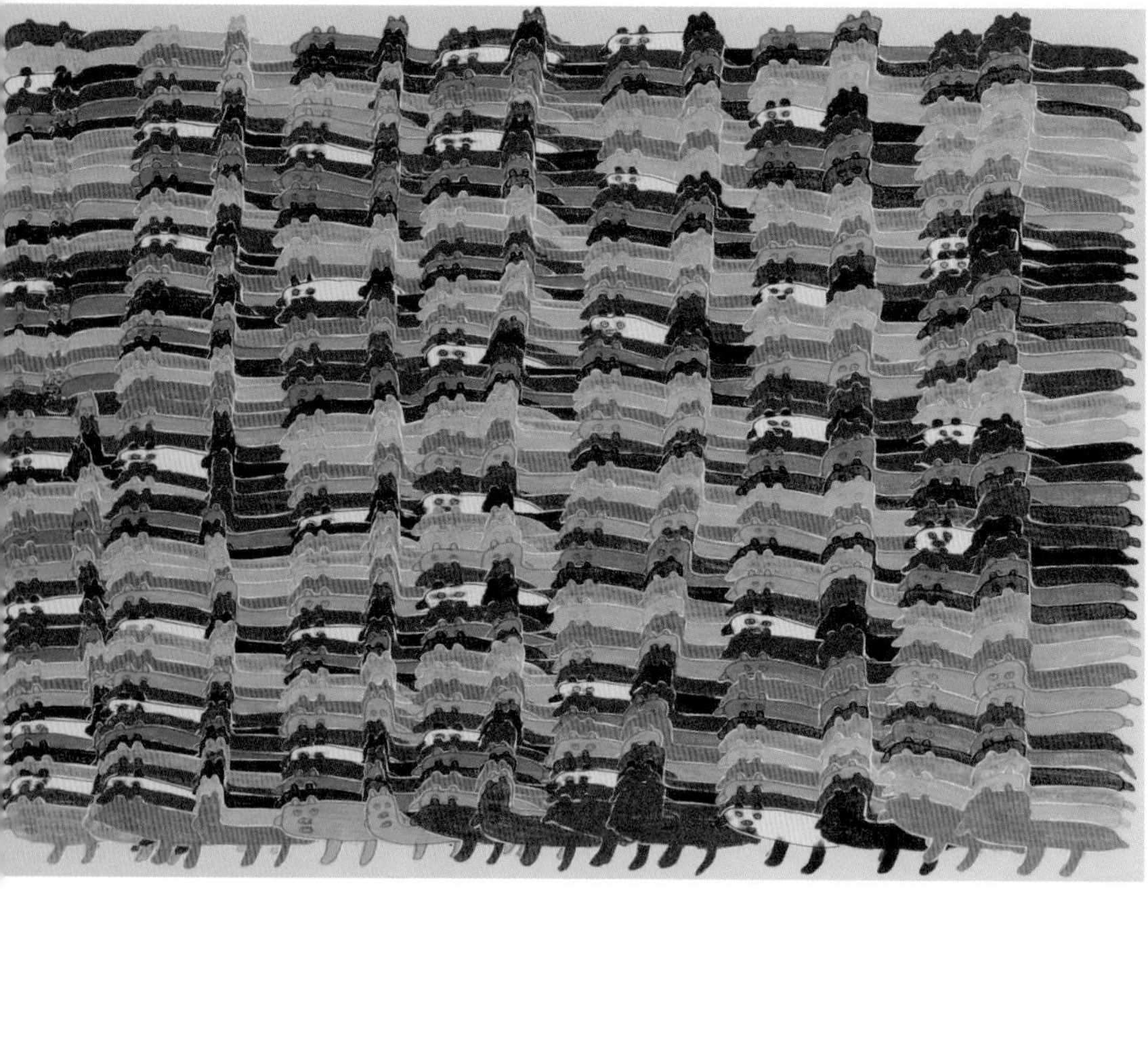

ようですが、それと同じように見えたことも気になりました。

髙橋 本当はこのアート、目に悪いので、30秒以上見てはいけないのですが、今日は3分も凝視してしまいましたね。（みんなあぜん。でも直ぐに「まっいいか〜」と笑いの渦）

武藤 それでですね、僕はこの絵のセンターにいる子がずっと気になっているんです。一番目立つのですが、なぜか顔が描かれていません。だからセリフを付けるとしたら「顔ぐらいちゃんと描いてよ」です。

髙橋 今まで気が付きませんでしたが、ほんとだ、顔が描かれていませんね。アーティストはたくさん描きすぎて疲れてしまったのかもしれませんね。この子が「顔を描いてね」って言ってるよ、とアーティストに伝えておきます。（笑い）では次の方、お願いいたします。

内木 まず、耳が三つもあるのが変だと思いました。それから、何で全員がこちらを向いているのかも不思議です。一見ゆるいアートに見えますが、よく見るときちんと並べて描かれているので、なおさら不思議に思えます。なぜか全員と目が合ってしまい、一人を選べなくなりました。それでもセリフを付けるとしたら、「なに見てんだよ！」って全員が口をそろえてこちらに向かって言っています。（あはは～どっかーん、爆笑だね）

髙橋　こちらが鑑賞しているのではなく、向こうがこっちを見て、全員で「なに見てんだよ！」なんですね。目を合わせるのがちょっぴり怖くなりました。（汗）

小谷　私が不思議に感じたのはキャラクター一つにつき足が2本あることです。でも、アートだから足は何本だってよいわけで、それがおかしいと思っている自分の方が間違っている、と反省したりしていました。

それから、右端がウインナーに見え、それがキッチリ並んでいるように感じました。いろんな色が並んでいる中に突然白黒があるのは不思議です。一番下の緑色のキャラクターが私に話し掛けていて、「こっちに来たいと思っているんでしょう」と言われているような。「来たいなら、来ればいいじゃん」と聞こえてきました。（それは何だかうれしくなっちゃうお誘いだよね～）

髙橋　それで小谷さんは行ってみたいですか。

小谷　でも、行くと何だか暑苦しそう。この辺りは特に暑そう。（と指さす）

髙橋　あはは〜ありがとうございました。確かに、かなり汗だくになりそうですね。

工藤　私は、高級ブランドのミッソーニの柄に見えます。たくさんの色を使っているのに全体として調和が取れているのが、すごい。それから、規則正しい波のようなパターンになっているところに、少しノイズの入った旋律をイメージしました。顔が見えないキャラクターもいるけれど、見えなくても強い感情を受け取りました。セリフを付けるとすれば、顔が見えない群衆ですが、「僕たち一人ひとり違うんだよ、みんなと同じに見えたら嫌だな！」です。そんな声が聞こえてくるように感じたんです。

髙橋　よく見ると一人ひとり微妙な違いがありますよね。これは絶対にコピペなんかじゃありません。工藤さんは教育者だから、一人ひとりの個性を大切にする心の声が聞こえてきたのかもしれませんね。さすがです！

前川　私はまず、このアートはどこから始めてどこで終わったのかが気になり、そういう疑問が今も頭の中でぐるぐる回っています。白黒の生き物はパンダのように見えますが、他の生物は何かなあ。気になります。切り貼りしているようにも見えますが、実際の制作過程はどうなんだろ。もー気になって気になって仕方ありません。吹き出しですが、第一印象で年間行事のスケジュール表を想像しました。（会場から「私もそれに見えた」と共感の声）それから、ちょっと引いて見るとラジオの電波のようにも見えたので、左上の方に隠れているパンダの所に小さい吹き出しを入れて、「次のリクエスト曲は、ほにゃららです～」って、おしゃれなイメージのセリフを付けます。

髙橋　なるほど！　では、山田さんお願いします。

山田　言いたいことはだいたい、皆さんに言われてしまいました。でも私、ここに描かれているキャラはたいてい2匹でワンセットだし、同じ色になっているのに、このパンダのようなキャラだけは白と黒のセットになっているのがすごく気になります。あと、顔のあるものとないもの、正面向きと横向きのセットになっているのが面白いですね。付けるセリフとしては、一番右下の列のパンダに黒とオレンジの2匹が乗り掛かっているように見えるので、パンダが「重たいよ～」って言っています。（笑い）　全体としてギュッとなっているのですが、ここの重なりは特に気になります。パンダも嫌そうな顔をしている気がしました。

髙橋　パンダくん、つらそうですもんね！　では次の方、お待たせしました。

大入　私はなぜか違和感もなく、不思議だと感じるところもなかったんです。それを無理やり探すのは不自然だという気がして。……アートを自然に受け止めることができたのかなと思います。
ただ妙に気になる1匹がいて、この子はすごく悲しそうなんですよね。泣いているように見えます。この左上の一番端にいるパンダです。セリフは「……」って感じかな。私だけが皆さんに比べてセリフが地味だなぁと反省してます。（会場あっはっは）

髙橋　（拍手をしながら）ありがとうございます。いやあ驚きました。いつもだとファシリテーターは参加者のコメントをおうむ返しにして確認したり、もっと伝わりやすいようにと考えて言い換えをしたり、フォローを入れたりするのですが、今日はそういう必要がまったくなく、ついつい引き込まれて聞き入ってしまいました。このアートは、先ほどと同じく「工房集」という福祉施設にいらっしゃるアーティストの山﨑利之さんが描いた「ゾウとキリン」です。

内木　えっ、ゾウとキリンですか？

小谷　誰が見てもパンダがいますよね。

髙橋　今見ていただいたこの「ゾウとキリン」は、2022年の「アートパラ深川おしゃべりな芸術祭」の全国コンペで準大賞に選ばれた作品です。僕は原画もしっかり見ましたが、いまだにゾウもキリンも発見できていません。うれしくなっちゃいますよね。皆さんも脳に刺激、来てますね～。

――（これまで見てきたように、私たちは一人ひとり違う。だからアートの作者と鑑賞者の間に大きな差異があっても、ちっとも不思議なことじゃない。ゾウやキリンはどこだ、パンダはいるのかいないのか。そういう話からコミュニケーションが活性化することだってあるしね）

対話の難しさと、大切さを実感

――(ファシリテーターの髙橋は、ここでいきなりイーゼルを持ち上げて動かし、絵を裏返して参加者からは見えないようにした)

髙橋　これが最後のアートとなりますが、皆さんには見えません。実はこれ、言葉で理解するアート鑑賞なんです。参加者の中からお一人にだけ、アートを見てもらいます。そして言葉を使って、どんなアートなのかを皆さんに伝えてもらいます。身ぶり手ぶりなどのジェスチャーはNGです。語彙力《ごいりょく》などの言語能力、それにコミュニケーション能力が試されますね。聞く側の皆さんには聴く力が求められます。

ということで、お一人ずつにスケッチブックと鉛筆をお渡ししますので、説明する方の言葉を頼りに想像力を最大限に働かせ、そこにどんなアートがあるのか、ご自分の手で描いてみてください。絵の上手下手は関係ありません。説明の言葉が的確に伝わっているかどうかが問題です。

対話型アート鑑賞実施風景

説明役は、どなたか自信のある方にお願いします。

内木　はい！　私にやらせてください。私は絵心がないので、説明役をやらせてもらいます。

髙橋　内木さんありがとうございます。では、こちら側に回ってアートを見てください。制限時間は3分、その間に、これがどのようなアートなのかを言葉だけで皆さんに伝えてください。

内木　（絵をじーっと見て）、それでは説明を始めます。顔はウサギです。耳が2本ピョーンと出ています。顔も胴体も暗めの濃いオレンジ色です。足は長くて、4本あります。2本は顔から出ていて、あとの2本は胴体から出ています。足に黒いドットがいっぱいあります。後ろの足はドットがないので、しっぽなのかな。胴体にもドットの模様があります。

――（場内、シーン。みんな黙りこくって、説明にじっと耳を傾けている。メモを取る人、スケッチを描き始めた人もいる）

内木　続いて肝心の顔ですが、鼻は大きくて長い。アニメの「サザエさん」のマスオさんに似て

います。（会場から笑い）
目はちょっとつり目です。眼鏡を掛けているようにも見えます。ひげが左右に3本ずつ。口は半円形で、口の下にだけ歯があります。うーん、3本のひげの下から顎の辺りは白くなっています。背景は、黒い色を塗ってその上から赤を重ねたような色になっています。

髙橋　はい、3分たちました。今度は参加者からの質問タイムです。聴く力に続いて訊く力をしっかり発動させてください。

小谷　顔は右向きですか、それとも左向き？　じゃなかったら正面向きですか。

内木　顔の向きは正面です。すみません、今さらですが、胴体は顔の横に付いています。

工藤　足の長さはどうなっていますか。

内木　後ろの足の方が長いです。

――（そこで内木さんは、ハッとして、「そうか、そうか、なるほど」とつぶやき、「しまった！最初に言えばよかったのですが、顔は全体の右側にあります！」と爆弾発言。会場どよめき。笑い出す人が続出。スケッチブックのページをめくって描き直す人、消しゴムを使って修正する人もいて、みんなの手の動きが速くなる。

内木さんは、細部から説明を始めるのではなく、全体から始めて次に細部の説明をした方が分かりやすいと気が付いたんだね。だから、頭の中でもう一度情報を整理して改めて説明したんだ）

内木　顔は正面を向いています。顔から長い足が2本出ています。胴体からも足が2本出ています。胴体から出ている足の方がより長いです。ちなみに、顔は楕円形で縦長です。

武藤　顔よりも胴体の方が上にあるのですか。

内木　顔は胴体の2倍くらい大きくて、胴体は上の方から出ています。

――（再び笑い声が起こり、髙橋も私も笑い出してしまう。会場から「別の紙に描き直してもよいのですか」と質問が出る。

高橋は「どうぞどうぞ」と答える。内木さん「顔の形はもっと早く伝えるべきだった」と苦笑い）

大入　鼻が分からないのですが、鼻はどんな形ですか。

内木　鼻はえーと、ヒョウタンみたいです。縦長で、すごく大きいです。

大入　しっぽは下に垂れ下がっているのですか。

内木　そうです。

前川　黒目はどちら側ですか。

内木　つり目で、全部黒目です。眼鏡みたいなのを掛けています。

――（参加者一同、一心不乱に手を動かす。説明役の内木さんはアートを見ながら、「あーっ、もう一度やり直したい。私もっとできたはず、うーん悔しい」とジタバタ）

［参加者の描いたスケッチ］

髙橋　内木さん大丈夫ですか。かなり悔しがっていらっしゃいますが。
さあ時間になりましたので、これで説明タイムを終了といたします。内木さん、どうもお疲れさまでした！（拍手）

髙橋　正解のアートを見る前に皆さんが描いたアートをシェアしてみましょう。（85ページ）
皆さん立ち上がって、中央でそれぞれの描いたアートを見せ合ってください。

前川　え～っ！　私のウサギは皆さんと全然違う。

武藤　目が可愛いね。

大入　私のウサギの表情、ちょっと怖いかも。

工藤　早く本物のアートを見たいけどドキドキしちゃう。

髙橋　それでは、答え合わせをしましょう。

まず、裏返してあったアートを見ていただきます。（アートを回転させてみんなに見えるようにする。おおーっ！と声が上がる）

山田　そうか、確かに鼻はヒョウタンだ。

小谷　ニヤッと笑う、人面ウサギですね。

前川　言葉だけで理解するのは難しいですね。

髙橋　今ここにあるアートには比較的シンプルなキャラクターが描かれていますが、それを限られた時間内に言葉だけで的確に伝えるのは意外と難しかったと思います。的確に聞き取ることも、難しかった。ですよね。

というこことで、もうお分かりでしょう。これはコミュニケーション能力や傾聴力を鍛えるアート鑑賞でした。

実際の仕事の場面でも、「言ったつもり、聞いたつもり」から誤解や行き違いが生じ、後で大変なトラブルになってしまうことってあり得ますよね。

伝えたはずなのに何を聞いていたの?とか、理解しているつもりだったのに勘違いだった!といった失敗やトラブルは、残念ながらよくあるんです。ちゃんと伝えたつもり、しっかり聞いたつもりになっていたのに要点がつかめていなかった、確認ができていなかったことによるミスは、皆さんも経験があると思います。

人に何かを依頼するときは、相手の立場に立って想像力を働かせ、できるだけ分かりやすく丁寧に伝えるよう心掛けることが大切ですよね。依頼を聞く方は、ただ聞いて聞きっ放しにするのではなく、内容を確認することが必要となります。

言葉だけに頼るのではなく、メモや写真を付けたりすると、情報伝達や解釈のズレが起こりにくいと思います。商品の説明書や組み立て方の解説書には、文字だけでなく必ずイラストや写真が添えられていますもんね。

今回ここで使用したアートは、京都にあるNPO「スウィング」に所属しているAckeyさんが描いた「歯が生えて喜ぶベンガルヤマネコ」でした。

内木さん、ごめんなさいね。マスオさんではなくてベンガルヤマネコだったんです。

私もベンガルヤマネコってどんな動物なのかよく知りません。(会場笑い)

分け隔てなく暮らしていけるようにしたい

福島　いかがでしたか！　皆さん本当にお疲れさまでした。対話型アート鑑賞を楽しんでいただけましたか。何か発見や気付きはありましたか。最後に、お一人ずつ感想をお聞かせください。

工藤　学校などで、生徒に何か質問されたときや感想や意見を求められたときは、的確に答える必要があるので、今日もつい、皆さんと違う答えやより良い答えを、と意識してしまいました。知らないうちに自分自身に縛られていると、このワークショップを行っている途中に気付きました。

中学生や高校生たちが果たしてこうした正解のない問いに対してどれだけの語彙力《ごいりょく》を発揮できるか、ということも考えていました。そんなことに思いを巡らせてしまい、どっぷりと浸るようにワークショップに集中できない自分が悩ましい。でも、こうしたワークショップを何度か経験していくうちに、本当の意味で解放されるのだろうと今は感じています。

高橋　僕たちも、このワークショップを企業研修で実施させていただく際に、そこが難しいところだと感じています。

特に、年配の男性で役職者の方々は素の自分をさらけ出して参加できていないなということが時々あるんです。そうした方々には時間をかけて少しずつリラックスしていただくように努力します。それで最終的に笑顔になっていただけると達成感がありますね。

――（私たちフクフクプラスのワークショップでは、何を言ってもいいんだという心理的な安全性が感じられる雰囲気づくりを強く意識している）

小谷　純粋に楽しく参加できました。この空間を皆さんと共有できたことが楽しかったです。それから、知らないうちに自分の実生活や性格が出てしまうことを実感しました。対話型アート鑑賞はリラックスして自由に発言できる、ということを体験できてとても学びになりました。障がいのある人のアートの魅力とそれに合わせた問い掛けの組み合わせが秀逸でした。アートの持つ「ワクワク感」を自分のワークショップでも、もっと生かせるようにしたいと思いました。

内木　美術鑑賞にはあまり興味がないので、実はあまり期待していませんでした。（笑い）

それが、アートをこんなに身近に感じて楽しめる方法があるんだと知ることができて本当によかったです。

どうして足が2本なの、なぜ耳が三つなの、と考えたり、ペアになっている生き物は男女の組み合わせでしょ、と決め付けたりするのは、固定観念にとらわれているからだなーと気が付きました。

私は、これが常識、これが当たり前という価値観を変える活動をしているので、もっといろいろな経験を積み、たくさんの人たちと出会い、「多様性が当たり前」と考えられる自分になろうと思いました。

――（大賛成です。障がいのある人も、ない人も、お互い分け隔てなく暮らしていけるような社会にしたいね）

武藤　障がいのある人のアートを介して多様性を伝える鑑賞会というのがどんなものか知りたくて参加しました。当事者として、未来は明るいと感じることができました。（盛大な拍手）

それから、ビジネスモデルとしての可能性も感じました。参加していて楽しい体験ができましたし、こうした取り組みのように障がいのある人と触れ合える機会がもっと増えることを望みます。参加させていただいて本当に良い経験になりました。

大入　楽しい時間をありがとうございました。私は人前で話すことに慣れているはずですが、実は緊張しまくったり人見知りなところもあったりするんです。今日は全然知らない人たちとワークショップを行い、少し緊張しました。優れた発言をしなければ恥ずかしいと考えている自分に気が付くことができました。いろいろな気付きを得られたアート鑑賞会でした。

山田　同じアートを鑑賞しても、人それぞれ多様な感じ方があることや見ている点も違うことが面白くて、ああ多様性ってこういうことなんだなと実感しました。コミュニケーションって一つひとつ丁寧に確かめていかないといけないし、逆に、確かめないから誤解が生まれるということも実感しました。

前川　教員という仕事柄、対話ってどこにあるのかといつも考えています。子どもたちへの教育でも、こちらから一方通行で伝えるのではなく、テニスのようにボールをやりとりすることがもっと増えていくと新しい気付きが生まれるという気がしました。

アートに向き合うと、アートとの対話が生まれ、アートに自分を投影しながらそこに他者を見ているんだな、と思いました。

それから、アートを通して他者の考えを知ることができる対話というものの可能性を理解しました。名画だと先入観が邪魔しますが、障がいのある人が描いたアートは純粋に鑑賞することを楽しめるし、集中できることが魅力ですね。


髙橋　皆さん、ありがとうございます。楽しかった、参加してよかったと言ってもらえて、こちらもすごくうれしいです。

「当事者として、未来は明るいと感じた」というお言葉、とても胸に響きました。

本日の「対話型アート鑑賞」はこれにて終了です。皆さん、ありがとうございました！


（拍手拍手拍手）

参加者の感想・感激コメントありがとう

後日いただいたアンケートに、印象深いコメントがあったので幾つか紹介いたします。

◎アート作品に出会うことは、人と出会うことと同じだと感じた。時間がたったり、違う情報を聞いたりするとまた印象が変化することに気付かされた。誰も否定されず、正解も不正解もなく、人間同士や作品と人も、フラットな関係性が心地よかった。

◎参加者同士の会話は少なかったが、その日はじめて会った参加者の人柄を理解できていることに驚いた。直接話をしなくてもアートを介して対話が成立していた。

◎言葉だけをヒントに絵を描いたが、結果的にほど遠い作品が出来上がり、コミュニケーションの難しさを痛感。同じ言葉のヒントから参加者同士が異なる絵を描いており、人の感覚や認識の違いがここまであることに驚いた。

障がい者アートが社内環境を改善

フクフクプラスは2カ所のワークスペースを使い、アートの効果を数値で捉える実証実験に挑戦しました。最初の1週間は何も掲示していない状態、次の1週間はいわゆる名画と呼ばれるアートを5点展示、最後の1週間は名画の代わりに障がいのあるアーティストの作品を5点展示し、それぞれの空間を使うワーカーにどう感じるか、アンケート調査を行いエビデンスを得ました。

結果は、私が予想していた以上に、全ての項目で障がいのあるアーティストの作品が、名画や何もない空間を上回りました（次ページの表をご覧ください）。

社内にアートが設置されている企業はたくさんありますが、たいていは経営者の趣味やお付き合いで購入した「名画」だと思います。社員の目には特に興味を引くものではなく、壁紙の一部のようなものであるかもしれません。でもそこに障がいのある

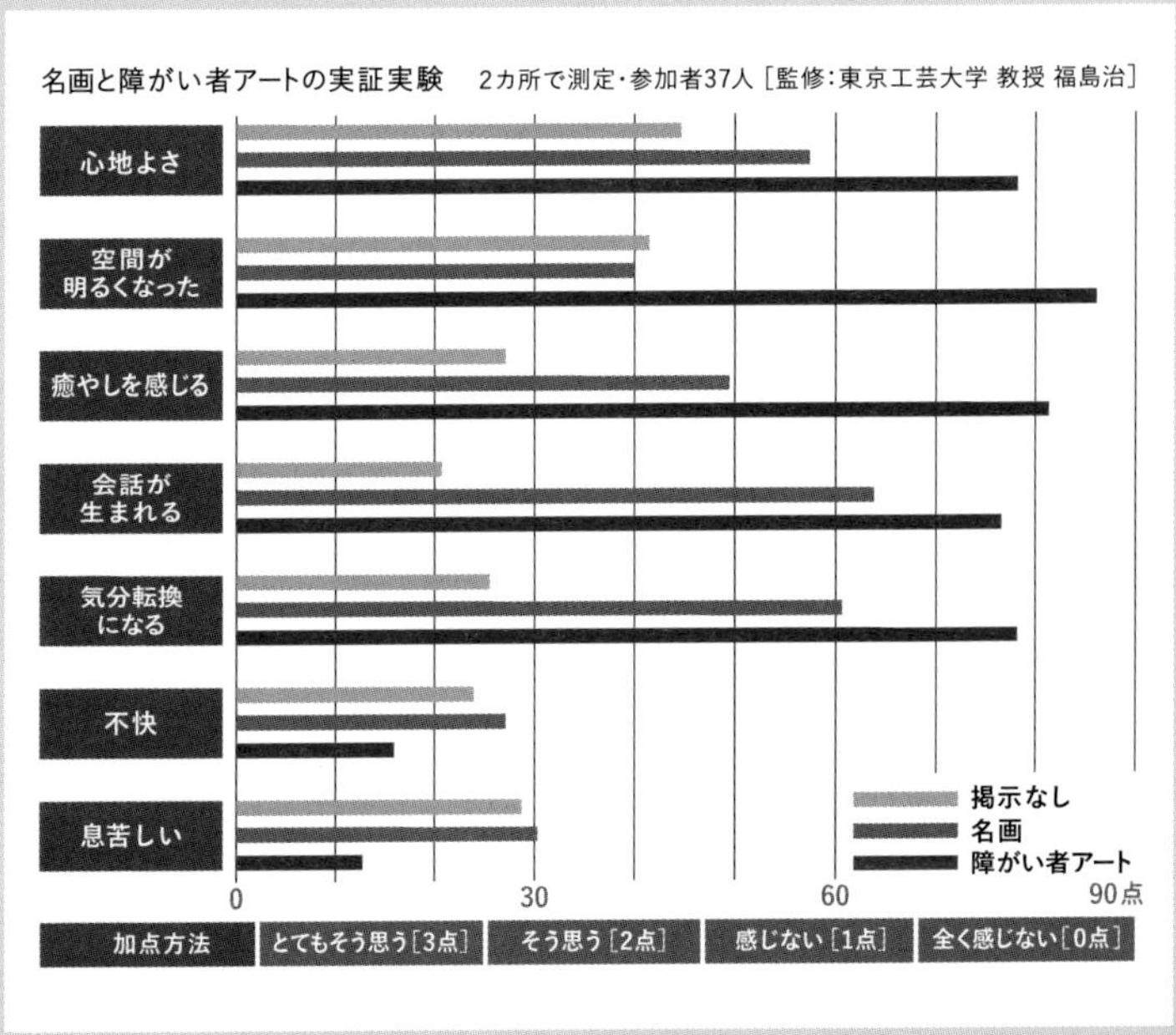
名画と障がい者アートの実証実験　2カ所で測定・参加者37人［監修：東京工芸大学 教授 福島治］
心地よさ
空間が明るくなった
癒やしを感じる
会話が生まれる
気分転換になる
不快
息苦しい
掲示なし
名画
障がい者アート
0
30
60
90点
加点方法
とてもそう思う［3点］
そう思う［2点］
感じない［1点］
全く感じない［0点］

アーティストの作品が飾られていたら、目にするたびにいろいろな刺激や感動を与えられます。ユーモアのある表現に気持ちがほっこりし、思わず笑みが浮かびます。

大胆なタッチや豊かで明るい色彩に元気をもらうこともあるでしょう。障がいのあるアーティストの作品にはこうした不思議な力があることが実証されたのです。

97ページのグラフが示すように、社内の環境改善に効力を発揮する、障がいのあるアーティストのアートレンタルが効果的です。

「対話型アート鑑賞」と「アートレンタル」の二つをセットにして採り入れていただくと、より効果が高まります。仲間と共に体験した「対話型アート鑑賞」での学びをその場限りで終わらせず、日常的に再確認することができますし、そこからまた、楽しいコミュニケーションや新たな発見が生まれます。

フクフクプラスの「アートレンタル」は、1万2千点以上の登録作品から空間や目的に合わせて自由に選ぶことができます。3カ月に1度アートを交換するので、好みの色やモチーフで選んでもよいし、季節に合わせて選ぶことも可能です。アートが壁紙になることがなく、常に新鮮な気持ちでアートと接することができます。

第3章

LGBTQダイバーシティー&インクルージョン

フクフクプラスの「対話型アート鑑賞」で髙橋圭がファシリテーターを務めるときは、参加者の皆さんに多様性理解をより深めていただくための働き掛けとして、「ダイバーシティー&インクルージョン」と名付けた研修プログラムを併行して行うことがよくあります。髙橋は自身の生い立ち、職歴、活動歴、プライベートな事柄まで、積極的に自己開示しています。読者の皆さんにも、ここでその話を聞いていただこうと思います。性別、年齢、国籍などの違いを尊重し、個性を生かしていく考え方(ダイバーシティー)と、多様性を受け入れて活用していく考え方(インクルージョン)を志向していく上での一助となると幸いです。(福島)

視野障がい者の父を見て育った子ども時代

僕は長野県長野市生まれです。福祉の仕事に携わって今年で20年になります。障がいの有無にかかわらず、誰もが安心して暮らせる社会をつくることを信念としています。

父は料理人の仕事をしておりました。しかし30代で視覚障がい者になりました。高熱が出て病院に運ばれ、気が付いた時には視野が狭くなり(図書カードの穴ほどの視野)、視力も落ちてしまい仕事を続けられなくなりました。障害者手帳を取得し、盲学校に通って資格を取り、あん摩マッサージ指圧師として働き始めました。僕は物心が付いた時からそうした父の姿を見て育ったので、「障がい者」というものを特に意識したことはなかったように思います。

父は料理が得意だったので、いつもおいしい料理を作ってくれましたし、家族はとても仲が良かったので、不遇な身の上だと感じたこともありません。

ただ、よくよく思い起こすと、家族旅行に出かけたことは一度もなく、誕生日プレゼントもなく、外食したこともなかったのです。それはやはり、ちょっと寂しいことですが、両親を恨む気持ちなど一切ありません。反対に、父が自分の障がいのせいで家族にふびんな思いをさせて申し訳ないと感じていたとしたら……そう考えるだけで心がチクチクと痛みます。

福祉の仕事を通じて見えてきたもの

父と母のおかげで、僕は順調に成長することができました。中京短期大学の保育科福祉コースで保育士と幼稚園教諭の資格を取り、卒業後は保育園で働き始めました。

そこに脳性まひのお子さんがいたのですが、同じ保育園仲間の子どもたちの中で自然に助け合いが生まれていたことには、本当に何と言っていいのか、心から感動しました。しかし、その子のお母さんが、将来が不安でたまらないと悩んでいらしたこと、重くのしかかってくる現実の過酷さに僕も胸がふさがれる思いだった記憶が、今も頭にこびり付いています。

保育士の仕事は重労働です。この仕事を長く続けていくためには、少しでも労働環境の改善を図ることが必要だ。そう考えて、全国福祉保育労働組合の専従職員に転身しました。

その頃から、社会のあちこちで「格差」や「貧困」の問題が話題に上ることが増えていったように記憶しています。新聞やテレビでも、毎日のように論じられていました。

生活保護を辞退した元タクシー運転手が餓死と言ってよい状況で見つかりました。事件が報じられた時は、僕もかなりの衝撃を受けました。新聞報道によれば、亡くなった男性の遺品の中から日記が発見され、そこに「オニギリ食いたい」とつづってあったそうです。

コンビニのおにぎりが売れ残ると、毎日大量に廃棄されているというのに、それすら手に入れることができずに餓死してしまう人が現実にいるのです。この社会の矛盾に強い憤りを感じずにはいられません。

食品廃棄の問題一つを取っても、国や地方行政によって定められた制度を変えていくには途方もない時間とエネルギーが必要だということは理解しているつもりです。それでも、何とかして変えていきたいことがある。福祉の制度も、改善したいことだらけです。制度改革を期待して待つだけでなく、今すぐ僕にできることは何でもしよう、と心の中で誓いました。

福祉の現場を変えていきたい

その後、グループホームで働くようになると、そこで生活をなさっている障がいのある方々と話をする機会が日ごとに増えていきました。

ある時、僕と同年代で軽度の知的障がいと発達障がいを持つ男性と、夢について語り合っていました。驚いたことに、彼の夢は「かっぱ寿司に行ってお寿司を食べること」だというのです。僕ならかっぱ寿司にはいつでも食べに行けるし、腹いっぱい食べられます。それに対して、障がいのある彼は同じ作業所で仕事をしていても、いかに低賃金であるかということです。

福祉の世界が抱える問題の根の深さを痛感させられました。気持ちが沈み込み、彼にどう返事をすればよいのか、言葉に詰まってしまいました。

そんなこともあり、後年、福祉の3Kといわれる「きつい、汚い、危険」を何とか変えたいと考え、障がい者福祉施設でつくられる商品を多くの人に知ってもらうために、BTOK（ビートック）というネットショップを運営する会社を一人で立ち上げました。

障がい者福祉施設の多くは、施設内で作った商品を一般向けに販売する他、単純作業の請け負いで障がい当事者の工賃（給料）を稼いでいますが、この工賃は安く、全国平均で月1万6000円にすぎません。これは重大な社会問題の一つです。

福祉施設の職員は福祉のエキスパートではあっても、商品の製造販売やブランディングのエキスパートではありません。作った商品を効率よく販売する方法や在庫管理の方法にも詳しくありません。日々、福祉施設を利用する当事者の方に真剣に向き合う仕事に追われ、時には福祉の現実に向き合いながら、「販路を開拓するにはどうすればよいのだろう」「在庫はどうすればよいのだろう」と頭を悩ませています。

そこで、BTOKが福祉施設で作っている商品を買い上げ、適正な価格で販売することにより、福祉施設に負担をかけず、障がいのある人の賃金を上げるための行動を開始しました。

しかしながら現実はあまりにも厳しいものでした。懸命に販売努力をしましたが、僕自身に販売経験もノウハウも乏しかったため売り上げは伸びません。結局、借金だけが残りました。

壁に突き当たっている時に、福島や磯村との出会いがあり、僕も共同代表の一人としてフクフクプラスを起業しました。

フクフクプラスで6年間育ててきたことの一つに、障がいのあるアーティストの描いたアートのレンタルサービスがあります。それを僕が引き継ぎ、レンタル料を工賃として施設やアーティストへ支払う、そんなビジネスモデルを確立したいと考えました。

そして、ついに！2024年1月に僕自身の夢でもあった福祉施設を江東区の木場公園近くに開所することができました。施設名は「アトリエにっと」です。

障がいのある人が仕事として、自分の好きな創作活動ができる就労継続支援B型の通所施設です。自分の描いた作品がアートレンタルとして使われる可能性もあり、工賃(給料)にもなる。そして、職員の社会的地位向上も行いながら、常に笑顔あふれる明るい場所にしたいと思います。

自分の描いた絵がどこかの会社の壁に飾られる。自分の絵を使った商品が店頭に並んでいる。それが現実になればアートを描いた本人だけでなく、ご家族も本当に喜ばれます。

障がいのある方が社会から必要とされる。仕事を通して周りの人を笑顔にすることは、福祉の世界ではそうそう考えられることではありません。アートにはそれを実現させる力があります。その可能性を生み出せる仕組みを全国に広げて、障がいのある方々に自信をつけていってほしいと願っています。

そうした社会を実現することで、「共生」や「共働」という新たな価値観が広まっていくはずです。

わが国の障がい者の総数は約1160万人で、人口の約9・5％に相当します。そのうち身体障がい者は約436万人、知的障がい者は約109万人、精神障がい者は約615万人です。

皆さんの普段の生活で、障がいのある方を目にすることはほとんどないかもしれません。それでも、見えないところにたくさんいらっしゃるのです。

障がいのある人が堂々と街を歩き、日常的に目にする存在となり、お互い分け隔てなく話をし、笑い合い、手助けし合う関係になってこそ、真の意味でのバリアフリー共生社会と言えます。

ＬＧＢＴＱも障がい者も、実は身近な存在

皆さんもご存じの通り、「多様性の受容」と「共生」は社会全体の課題とされています。誰もが避けて通ることのできない問題なのです。

ＬＧＢＴＱに関することでも同じですね。Ｌはレズビアン＝女性同性愛者、Ｇはゲイ＝男性同性愛者、Ｂはバイセクシュアル＝性的指向・性自認が定まらない人、を指すということも、皆さんご存じですよね。

ダイバーシティー（多様化）＆インクルージョン（受容）の推進において、性的マイノリティーへの理解とジェンダー平等は不可欠とされ、企業においてもさまざまな取り組みが進められています。

そこで皆さんに質問ですが、テレビでよく見るマツコ・デラックスさんはＬＧＢＴＱのどこに入ると思いますか。レズビアン、ゲイ、バイセクシュアル、トランスジェンダーのどこに当たるのでしょうか。

マツコさんご自身が著書（『マツ☆キヨ』新潮社）の中で書いていますが、Ｇのゲイなんです。マツコさんは自身を男性だと認識していらして、男性を好きになるそうです。女性の格好をしているのは、ただ自分を表現する手段なのだそうです。見た目だけでは分かりませんね！

１０８ページの図をご覧ください。

生物学的性別で分けるなら、人間は男か女かという2分類になります。次に恋愛感情として、ドキドキする対象が男性と女性のどちらなのか、（恋愛感情が湧かないという方もいます）そして

LGBTQ・12種の多様な性の図

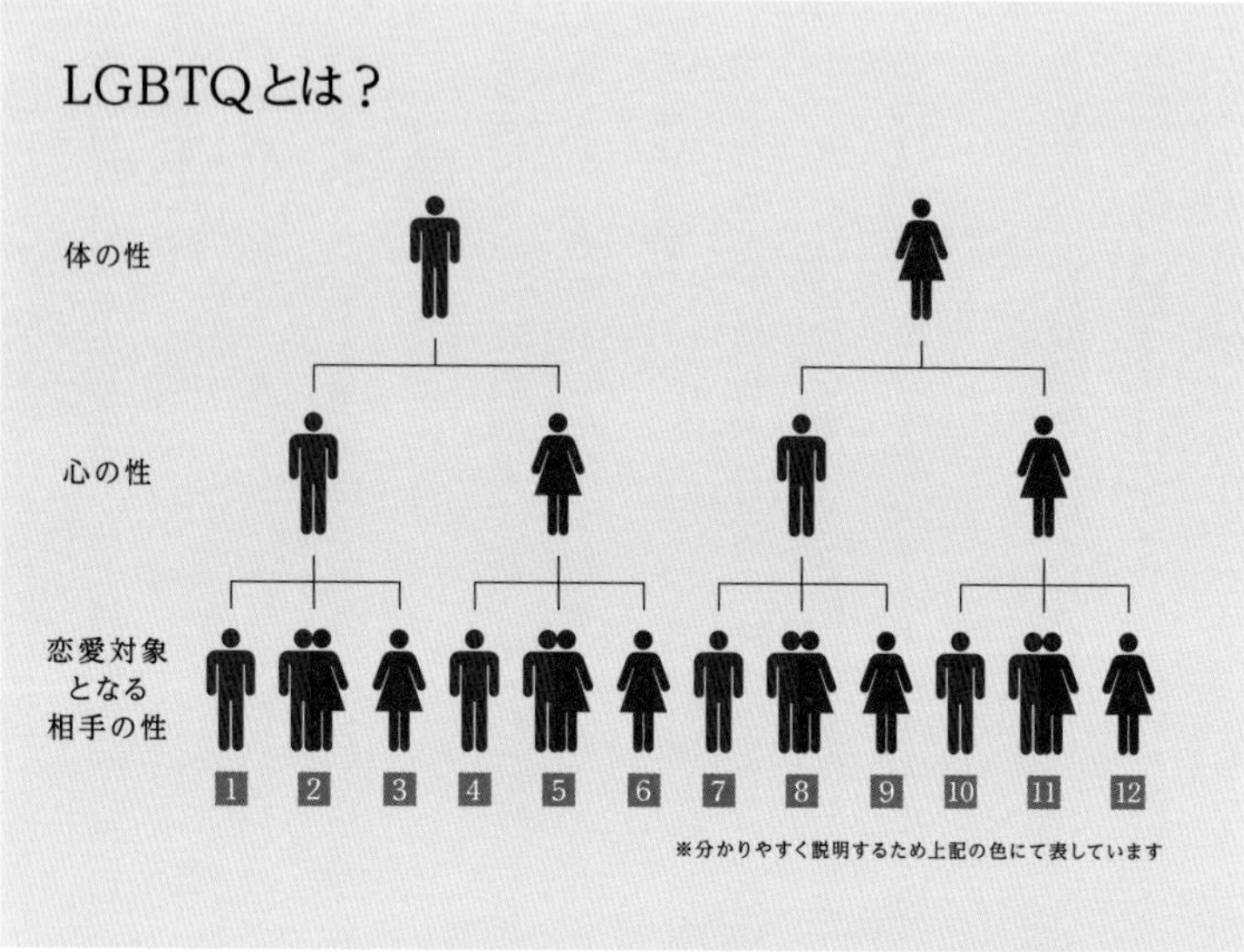

対面スタイルの「対話型アート鑑賞」

性的自認として、男性、女性、どちらか分からない、の三つに分類されます。この三つを組み合わせると、12のパターンが生まれます。人間は男か女の2種類しかいないと思ったら大間違いで、12種類もいる、それほど性は多種多様だということです。

日本における左利きの人の人口割合は11％です。全体から見れば少数派ですから、駅の自動改札機や自動販売機など、ほとんどのものが右利き用のデザインになっています。

血液型では、日本人全体の9％の人がAB型です。佐藤、田中、鈴木、高橋など、多いとされる名字を持つ人の割合は全体の5％。それよりも多い8％の人が、LGBTQのどれかに当たるとされてます。

僕も髙橋ですが、会社や学校に必ず一人はこの名字の人がいるのではないでしょうか。そうした「よくある名前の人」よりもLGBTQの人の数が多いということは、皆さんが気付いていなくても、実は身の周りに一人か二人はいる、もしかするともっとたくさんいる、ということに他なりません。

「自分はゲイだ」あるいは「レズビアンだ」というように、職場でカミングアウトした人の割合を調べてみると、厚生労働省の資料によれば、ゲイが5・9％、レズビアンが8・6％、バイセクシュアルが7・3％、そしてトランスジェンダーが15・8％となっています。

トランスジェンダーの割合が多いのは、トイレや着替えなどでトラブルになる前にカミングアウトした方がよいと考える人が多いからだと思います。

しかし全体を見ると、まだまだカミングアウトしていない人、できずにいる人の方が多いのです。言い出せない理由は、性的マイノリティーに対して「気持ち悪い」「異常だ」などの偏見や差別が社会に根強く残っているからです。

これは日本だけでなく世界共通の悪しき偏見、差別です。性的マイノリティーの人々を処罰の対象としている国が76カ国もあり、国によっては死刑にさえなります。

世界中どこへ行っても、人々の価値観は本当に多様で複雑ですが、少なくとも日本にいる性的マイノリティーの生きづらさを解消するために僕にできることとして、このダイバーシティー&インクルーシブ研修を企業や学校で行っています。

当事者として生きること

ここでいきなりなのですが、実は僕もゲイなのです。

初めてそう自覚したのは高校生の頃でしたが、当時、自分はゲイではないと思い込みたく、女の人と結婚して子どもの顔を見せることが一番の親孝行だと思い、女性と付き合っていました。

しかし、短期大学に通っている頃、『アルマゲドン』という映画を見ていた時のことでした。地球滅亡の危機を救うことができるかどうかという映画で、もし明日にでも地球滅亡が訪れるとしたら、最後の瞬間にそばにいてほしい人は誰だろうと考えました。頭に浮かんだのは、当時付き合っていた彼女ではなく、気になっていた男性だったのです。

そう気付いてからも、自分を守るためにうそをつき、そのたびに自己嫌悪に陥っていました。友達と他愛のない話をしてワイワイ盛り上がっている時も、「クラスで一番かわいい女の子は誰か」「どの子が好きか」という話になれば、うそをつかなければなりません。

親にも先生にも言えませんでした。テレビに出ているゲイの人たちは、どちらかといえばそれを自虐や笑いのネタにしているので、僕もバレたら笑いのネタにされてしまう、と恐れていました。

大学を卒業し、保育園で働くようになってからも、同僚や子どもたちやその保護者にゲイだと知られて嫌悪感を持たれたらどうしようと悩み続けました。

性的指向や性自認について、本人の了承を得ずに、第三者が公に暴露すること、つまり「アウティング」に対する不安や恐怖もあります。これは本当に厄介です。

ゲイの友達や好きな人ができても、アウティングされるのではと案じてお互いに本名を明かさずにいるという人も少なくありません。病気やけがで入院したと知らされても、名前が分からず病室を探すこともできません。仮に死んでしまってお線香を上げに伺っても、ご家族から「どのような関係ですか」と尋ねられても、本人がカミングアウトしていなかった場合を考えてうそをつかなくてはなりません。

好きな人と一緒に暮らしたいと思って不動産屋巡りをしても、僕のように40歳近くともなると、いい歳をした男二人が同居するのがいかがわしい、何か悪いことでも企んでいるのではないかと白い目で見られ、不審に思われ、二人はどのような関係なのかと根掘り葉掘り聞かれるのは、とてもつらいことです。

僕は32歳の時にようやくカミングアウトすることができました。そのきっかけとなったのは、渋谷にある「はたらける美術館」で「ART for BIZ」という絵画鑑賞プログラムの体験に、磯村と連れ立って出掛けたことです。

鑑賞会で見せられたのは、墨で描かれた円のアートでした。僕は魚の目に見えましたが、磯村はまったく別なモノを想像していました。その時のファシリテーターは、人それぞれ見方や感じ方が多様であることが大切だと教えてくれました。人と違っていていいんだ。違っているから面白いんだ。そこでの気付きが僕の背中を押してくれたのだと思います。

磯村や福島と共に立ち上げたフクフクプラスは、障がいのある人の創作活動や生き方をサポートすることを事業としています。僕も性的マイノリティーの当事者であり、今の社会との間では、まだ生きにくさという壁を感じています。どんな障がいがあっても胸を張って堂々と生きられる社会を目指すのがフクフクプラスのビジョンです。

その僕がうそをつき、肩身の狭い思いをしていてはだめだと思いました。自分が同性愛者であることを絶えず意識して縮こまっているのではなく、さまざまな属性を持つ一人の人間として、髙橋圭として正々堂々と生きていこう。その思いが強まり、カミングアウトをする決心がつきました。

僕が自分の真実を打ち明けることで母が自責の念に駆られたりしたらどうしよう、親戚にも迷惑が及ぶかもしれない、と心配はありましたが、勇気を出し、思い切って伝えてみると、みんな真摯に受け入れてくれました。

父は昨年他界しましたが、もしあの時カミングアウトしていなかったら、うそをついたままのお別れになっていました。

現在、私個人としてはカミングアウトをして本当によかったと思っています。かつて中学生・高校生の頃は、自分は異常かもしれれないと悩んでいましたが、決してそうではないのです。性自認、ジェンダー、セクシュアリティーといったことに、きちんと向き合い、正しい知識を得ていけば、「この範囲内なら正常で、ここから先は異常」などと決め付ける仕切りなんて、本当は存在しないのだと分かります。

人間はそもそも多種多様なのだということを伝えたくて、近年は中学校や高等学校へも積極的に出向き、この「ダイバーシティー&インクルージョン」研修プログラムの講演をするようになりました。僕の場合と同じように悩んでいる子がいて、その子の悩みが少しでも軽くなればうれしいです。

人間の多様性を理解し、受け入れていくことは大事ですが、世の中がそういう風潮だからという理由で、理解しているふりをしたり、無理やり受け入れる必要はないと僕は思っています。

ただ、「髙橋はゲイだから嫌い」と言われるのはつらいです。人それぞれ好き嫌いもあれば相性の善しあしもあるので、なんとなく好きになれない、ということはあるでしょう。そういう意味で「髙橋は嫌い」と言われるならスッキリします。僕だって、ゲイの友達の中にも好きな人、苦手な人がいます。ゲイ、障がい者、外国人といったカテゴライズで好き嫌いを決めるのではなく、その人個人を見て判断するなら、それはそれでいいのだと思います。

障がいのある人やLGBTQに対する理不尽な扱い、差別に対しては断固反対ですが、「自分には心から受け入れることができない」という場合でも、「世の中にはいろいろな人がいるのだな」とその人の存在を否定するのではなく、色々な人がいることを少しずつでも知ってもらえればと願っています。

2011年ごろから、国際社会で使われるようになった言葉に「SOGI」という語があります。これは覚えておくとよいですね。Sexual Orientation（性的指向）とGender Identity（性自認）の頭文字を取って「SOGI」となり、「ソギ」あるいは「ソジ」と読みます。人の属性を表す略称で、異性愛の人なども含め、全ての人が持っている属性のことを言います。

「SOGI」を含めてどのような人であっても、平等に人権が尊重され、安心して働ける職場環境を実現する取り組みが必要です。こうした考え方を社会の隅々にまで浸透させ、誰にとっても生きやすい社会をつくっていきたいものです。

多様性はイノベーションの源泉

発明家として知られるトーマス・エジソンは、今なら自閉スペクトラム症と診断されているはずです。

マイクロソフト社の創業者の1人であるビル・ゲイツ氏も、子どもの頃は、社会性の発達が遅れ気味だったようです。百科事典を愛読し、知識豊富ではあるものの、友達とのコミュニケーションはあまり得意でなく、一人遊びに熱中していたずらばかりしていたそうです。マイクロソフト社が大企業になっても、激しく椅子を揺らす癖がそのままであったことは社内でも有名な話です。その癖は思考に熱中するといっそう激しくなるそうです。

アップル社のスティーブ・ジョブズにも強い発達障がいの傾向があったことは有名です。

ハーバード大学在籍中にソーシャル・ネットワーキング・サービスサイト「フェイスブック」を立ち上げたマーク・ザッカーバーグの場合は、本人が公言していないので推測になりますが、高度の集中力と記憶力、さらにアスペルガー症候群の特性とも言える反復（同じことの繰り返す）が得意なこと、同じ服を何着も用意して毎日同じ服装をしていることでも有名で、これはアスペルガー症候群の特徴である「同じパターンを好む」ことからきている、と分析する人は少なくないようです。

民間での宇宙事業の突破口を開いたスペースX社や電気自動車で世界をリードするテスラ社のCEO（最高経営責任者）であるイーロン・マスクはどうでしょう。彼は自らアスペルガー症候群であることを公言して話題になりました。

天才性と発達障がいとの間には、深い関連性があるのかもしれません。

世界を変えた偉人、歴代の天才としてその名が挙がる、ニュートン、レオナルド・ダ・ビンチ、モーツァルト、ベートーベン、シェークスピア、チャールズ・ダーウィンも、現代の医学から見ると、発達障がいと診断されるのではないかと思います。

そうした障がいをネガティブに捉えるのではなく、個性・特性としてポジティブに受け止め、一人一人の能力や素質を生かす「社会モデル」をつくり、増やしていくことが大切です。

現に、世界をけん引する企業のトップに発達障がいの特性を持つと思われる人が多くいる。この事実からも分かるように、突出した個性や特性を矯正、排除してしまうのは大きな損失と言えるのです。脳には多様性があることをポジティブに理解し、適材適所で生かしていくことが求められます。

日本にも、傑出した個性の持ち主の起業家がたくさん現れてくれるとよいですね。日本人は常識的でモラルもしっかりしています。約束に忠実で、新幹線などは1分も狂わず運行されています。その半面、模倣はうまくてもオリジナルのアイデアを考えるのは苦手です。革新的なビジネスモデルはいつも海外からやって来ます。

社会がもっと積極的に多様性のある脳を受け入れ、自分たちも常識の箍を外し、想像力を鍛える訓練を行えば、脳が脱皮して発想が広げられるはずです。多くの企業が陥っているコモディティー化、つまり個性に乏しく画一的な商品やサービスばかりで魅力の感じられない世界から脱却できる、と思います。

第4章

障がいのあるアーティスト訪問

障がいのある人が「働く」ことの意味

第1章で紹介した『ドラえもん』の作者・齋藤裕一さんや「せっけんのせ」シリーズで人気を博す柴田鋭一さん（いずれもその作品がパリのジョルジュ・ポンピドゥー国立芸術文化センターにコレクションされているアーティスト）、そして第2章「対話型アート鑑賞」で見てもらった白田直紀さん、山﨑利之さんが通っている福祉施設は、埼玉県にある「工房集」と「川口太陽の家」です。

この二つは、社会福祉法人みぬま福祉会が運営する「生活介護型」施設で、障がいの重い人を対象としていますが、それのみならず、アート活動を主たる仕事にしている点に大きな特徴があります。

みぬま福祉会は1984年に発足しました。養護学校（現在は特別支援学校）を卒業した後に行き場をなくしてしまう重度の障がいがある子どもたちの居場所をつくろうと、親や学校の先生が中心となって作業所を開いたのが始まりです。

当時は、重い障がいのある人が地域で生きていくための国からの支援は少なく、親や関係者たちが自ら動く必要がありました。
受け入れ施設がなければ、障がいの重い人は「在宅」という形で家にこもり、社会から切り離されてしまいます。「疎外された」という悲しみや怒りの感情が自傷行為などの問題行動となって表れることもあるようです。それは本人にも家族にとっても不本意な状態でした。

みぬま福祉会はそんな「在宅」をなくそうと、発足当初から「どんなに障がいの重い人でも受け入れる」ことを理念に掲げ、支援に取り組んできました。そして、「障がい者にとっても働くことは権利である」という考えを活動の軸としてきました。

働くということは、「お金を稼ぐこと」「社会とつながること」「生き生きした人間の発達につながること」。みぬま福祉会は、働くことをそう定義しています。

障がいのある人でも働くことはできる。今ではそれが常識となっていますが、当時は知的障がいの重い人がお金を稼ぐというのは無茶な話だと、親でさえも思い込んでいる時代でした。

現在の理事長、事務局長や職員の方々は試行錯誤の連続だったそうです。
リアカーを引き、落ちている空き缶を集めてプレスしたり、古着を裂いて雑巾を作る作業から始めたそうです。

簡単な軽作業を中心としていましたが、そうした仕事がどうしてもできない人、向いていない人もいたので紆余《うよ》曲折の連続でした。障がいの重い人が一般社会の規格に合わせて、手際よく作業をすることには無理があり、限界もあるのです。

みぬま福祉会は創作活動へと大きくかじを切って活動の方向転換をすることにしました。仕事を人に合わせるのではなく、その人にしかできないことを見つけて仕事にしたい。10年以上の試行錯誤を繰り返した末にようやくたどり着いたのが、障がい者によるアート活動・表現活動でした。

現在に続く道のりには何度か運営の危機もあったそうです。それを乗り越えられたのは、職員の皆さんと親御さんたちが、障がいのある人の願いに寄り添いたいと思う強い信念があったからです。

みぬま福祉会は、「その人が得意とすることを生かし、誰もまねすることのできない作品を作ること。作品を通して社会と関わり、既存の価値観を変えていくこと」を大切にしながら、一人一人の個性や障がいに合わせてアート活動を推進しています。

そして先述の通り、仲間を大切にすることで世界的に高く評価される作品とアーティストを世に送り出してきたのです。

障がいのあるアーティストのほとんどは、アカデミックな美術教育を受けていません。だからこそ、美術の基礎的技巧や常識にとらわれない自由で生命力のある線や色使い、体ごとキャンバスに飛び込んだような絵の具の盛り上がり、驚くような繊細で緻密な描写など、各人各様の個性の輝きを放つのだと思います。

障がいという特性を持つが故に、色を敏感に感じる能力が高いとか、一度見た景色を写真のように正確に記憶に焼き付けたりすることのできる人もいます。

好きなモチーフや素材に対するこだわりが強く、愛情が深過ぎるほどに深く、故に私たちには想像もできないような斬新な描写が生まれ、新鮮で存在感のある個性的な表現としてあふれだすのかもしれません。

ここで読者の皆さんを、障がい者アートの創作現場へご案内しましょう。

訪問させていただくのは、社会福祉法人みぬま福祉会の「工房集」と「川口太陽の家」です。アート活動を温かく見守っている職員の方々と、私たちの想像を超える個性や表現を持つアーティストが多数待っていてくれるので、どうぞ楽しみにしてください。

工房集外観

アート活動は仕事と言えるのか？

まずは「工房集」です。

その建物は木造平屋建てで、外壁は明るい色彩でペインティングされています。たくさんの窓から自然光がたっぷり入る設計になっている他、ここに通うアーティストたちが自由に楽しく創作活動をしやすいようにと考え抜かれた工夫が随所に施されています。玄関を入ってすぐの小空間はギャラリーになっています。

私はこれまで全国各地のさまざまな福祉施設を訪問してきましたが、この「工房集」をはじめ、アート活動を行っている施設はどこもゆったりとした空気が流れているのを感じます。場所も建物もそれぞれに違いますが、共通しているのは、昔の美術大学のような自由で開放的な雰囲気です。

それとは対照的に、袋詰めやラベル貼りなどの単純作業を仕事として行っている施設には、心地よい空気が感じられないことがあります。そうした違いはどこから生まれるのか。私が思うに、仕事を楽しんでいるか、いないかによるのだと考えています。

作業効率の良しあしが工賃に直接響くとなれば、管理する側はどうしても効率アップを図ろうとしてしまいます。この人は1時間に何個作業ができるとか、この人は指示通りに間違いなく作業ができる、といったように、知らず知らずのうちに「優劣」を付けてしまうこともあるのではないかと思います。

単純作業に向いている人、キチッと仕事をすることが好きな人にとっては特に問題となるようなことでなくても、障がいが重い人の場合は、好きでもない作業をさせられてストレスになっていることが多いのではないでしょうか。

アート活動においては、一人ひとりを評価したりしません。コンペで選ばれたり選ばれなかったり、作品が売れたり売れなかったりという差異が結果的に生じることはありますが、創作活動の場では誰もが平等に扱われます。

効率重視の作業が不得意な人も、アート活動ならマイペースで行うことが許されます。絵のモチーフも描き方も自分で決めることができます。上手な絵よりも、常識からはみ出す自由で奔放な表現に賞賛の拍手が送られます。

「工房集」の設立当初からアーティストに寄り添い、アート活動を温かく見守っている管理者の宮本恵美《えみ》さんと支援員の渡邉早葉《さよ》さんにお話を伺いました。

宮本さんは、みぬま福祉会が障がい者によるアート活動・表現活動の支援を始めた当初から現在までの全てを知っている、生き字引のような方です。

福島　みぬま福祉会が仕事としてアート活動を取り入れることになったきっかけを教えていただけますか。

宮本　横山明子さんという、一人の女性との出会いからアート活動が始まったのです。横山さんは1992年からこちらに通っています。今でこそ、穏やかでちゃめっ気のある横山さんですが、当時は単純作業をお願いするとひどく不機嫌になり部屋にこもってしまっていました。「ちょっと仕事をしてみない？」と優しく誘ってみるのですが、そのたびに拒否され、だんだん関係性も悪くなってしまい、こちらも悩んでいました。

ある時、横山さんが紙に落書きしていることを知りました。溺れる者はわらをもつかむの思いで、「お祭りの絵を描いてほしい」とお願いしてみると、せきを切ったように描き始めたのです。その姿を見て、これを仕事にするしかないという発想が生まれたのです。

しかし当時のみぬま福祉会は、単純作業が中心だったので、「絵画が仕事になるのか」「好きなことだけではなく、仕事は辛いということも教えるべきなのでは」とかたくなに考える職員も多くいましたので、アート活動はなかなか理解してもらえませんでした。

上から「メガネ、メガネ、ワンピース、フーセン、フーセン」横山明子

福島　そうした厳しい環境下で、どうして宮本さんはアート活動を仕事とすることに挑戦したのですか。

宮本　横山さんに出会ってしまったからです。どうしたら横山さんが拒否せず、仲良くなれるのかを職員たちで悩んだのです。そして、１９９７年のことですが、横山さんたち施設の仲間の作品を発表できるような場所を探している中で、浦和ＮＨＫスペースＵという貸し会場を借りて展覧会を行いました。展覧会の様子がＮＨＫで放送されると、思いも寄らぬ反響があり、背中を押されたような感じです。

その翌年には銀座セゾン劇場で作品展示会があり、横山さんとご家族や職員たちで見学しました。その時、横山さんのお母さんが「この子を産んで初めて褒められた」と言われ、さめざめと泣かれていたことが今でも心に深く刻まれています。

福島　横山さんのお母さんだけでなく、障がいのある人の親御さんは本当に大変です。子どもに何らかの障がいがあると分かると、まず、お医者さんから「普通のお子さんのような成長は難しいと思われます」と告げられることがあります。長じて特別支援学校に入ってからも、将来に希望を持てる話を聞かされることはなかなかありません。支援学校を卒業した後、ほとんどの子どもたちは通える範囲の福祉施設などで一生を過ごすことになるという現実を突き付けられます。ですから、わが子に絵の才能があるらしいと分かり、個性が認められることは、一般の人が想像する以上の素晴らしい出来事なのです。

「これまで愛する子どもに対して、ずっと否定的なことしか聞かされてきませんでした。アート活動と出会ったことで、この子が生まれて初めて社会に認められました。ようやく家族全員で前を向いて生きる喜びが見つかりました」と、お母さんたちは目に涙をにじませながら話してくださいます。

こうした親が子を思う気持ち、痛いほどよく分かります。私の亡き妻も、常に子どもたちのことを気にかけていました。3年半にわたる闘病生活中も自分の苦しみや痛みを口にすることはまずありません。生きている間にわが子にしてやれることだけを考えていました。痛みを我慢してお弁当や料理を作り続けていました。母親の愛情の深さを思うと、私は自分の無力さにうなだれました。もし私の方が病気だったら、自分のことばかり心配し、愚痴を言ったり神様をののしったりするだろうと思ったのです。

そうした経験からも、私はデザイナーの職能をもっと生かして障がい者の創作活動を応援したい、ご家族にも将来の夢を持ってもらいたいと、心から願って活動しています。妻に対して十分なことをしてあげられなかったざんげなのかもしれませんし、この活動を通して私自身が救われていることもひしひしと感じています。

宮本　横山さんも、絵を見に来てくれたお客さんが口々に素晴らしいと褒めてくれるのがとてもうれしかったようです。

アート活動に出合い、横山さんもすっかり変わりました。絵を描くことを自信を持って行うようになり、みぬまの職員との関係も良好になりました。

福島　障がいのある人でもアート活動によって自分を認めてもらえると自己肯定感が高まり、生活も落ち着くことを、全国の福祉施設でたびたび耳にします。私も障がいのある人から大切なことをたくさん教えられています。

宮本　その頃は福祉のバザーによく参加していましたが、「これは障がいのある人が一生懸命に作ったので、どうか買ってください」と職員が必死に懇願する様子を見て、私は何だか違うなあと違和感を持っていました。

みぬま福祉会では、障がいのある人を「仲間」と呼んでいます。同じ時代を共に生きる仲間たちという考えからきています。「仲間」と一緒に過ごす時間を豊かにすることを大切にしています。

[茶太郎] の作者 田中悠紀さん

工房集制作風景

「仲間」の尊厳を守り、社会に伝える手段として、アート活動の可能性に懸けてみようと思いました。

福島　今、アート活動は仕事と言えるのかと聞かれたらどう答えますか。

宮本　もちろん、答えはイエスです。障がいがあっても、いえ、あるからこそできるアート表現があり、その作品を通じて「社会とつながること」「生き生きした人間の発達につながること」そして、「お金を稼ぐこと」ができるのだと、施設の仲間が証明してくれました。

福島　示唆に富む素晴らしいお話ですね。とても共感します。

仲間同士が刺激し合って相乗効果

お話を伺った後、工房集の各部屋を巡って、創作にいそしむアーティストのお一人お一人を紹介していただきました。

漫画やイラストを描いている人、キャンバスに向き合い水性ペンを動かす人、編み物をする人、織り機を操作する人など、各自が思い思いの方法で創作活動を行っています。アーティスト集団の創作現場を見せてもらっている、という感じです。

会話ができる人は少ないようですが、こちらから「こんにちは～」と声を掛けると、歓迎の笑顔を見せてくれます。もちろん無表情な人もいますが、「どうぞ」と言ってくれている心の声を感じました。

めいめいが自分の名刺を持っていて、そこに作品を撮影した写真が印刷されています。プロの手による写真、プロが手掛けたデザイン名刺のようで、立派なものです。

はにかみながら名刺を差し出す人、裏返しに渡す人、慌てて名刺を探したけれど見つからない人もいます。こうしてアーティストとして名刺を持っていることからも、「工房集」がアート活動を「仕事」と考えていること、「仲間」の人格を大切にしていることが伝わってきます。

この日は私の他に、関係者5人が同行してくれました。皆口々に、感嘆の声を上げていました。

Aさん　一人一人が自分の作品が印刷された名刺を持っているのがすてきですね。自分の仕事はアート活動なのだと意識するためにも名刺は大切ですものね。

Bさん　アーティスト全員と名刺交換できるのがうれしいです。子どもの頃、憧れの野球選手のカードを集めたことを思い出します。こうして頂いた名刺を眺めているだけで楽しいです。

Cさん　アーティストは一人で孤独に作品と向き合って制作している、と勝手なイメージを持っていました。でもここでは、何人ものアーティストが同じ空間にいて、お互いの存在を感じながら制作しているんですね。仲間から刺激を受けて表現意欲が高まり、その表現を見た仲間がまた発憤し、と相乗効果が生まれているようですね。とても貴重な場なのだと実感しました。そうした場をつくることが大切で、職員さんたちも刺激を受けて一緒に成長しているのだと感じます。

Dさん　多くのアーティストが皆隣り合わせで活動しているから孤独感がない。ダイレクトにみんなとつながっていることで一番大事な「心のケア」ができていると感じました。体の障がい特性は変えられないとしても、心の状態は変えられると思います。そのための良い環境をつくれているいることがすごいです。

Eさん　皆さん色選びのセンスが抜群にいいですね～。こうして制作現場のすぐそばで、描いている最中の手元まで見せてもらうと、作品に対する理解が深まります。直接アーティストにお会いすると作品の見え方が全然違ってきますね。

Aさん　「アートを仕事にして社会参加する・収益を得る・高い評価を得る・自信をつける」という道のりは並大抵のことではなかったと思います。一人の力でできることではないでしょうから、施設職員の方々や周囲の協力がいかに大切か、部外者の私にも十分に想像が付きます。

Bさん　パリのジョルジュ・ポンピドゥー国立芸術文化センターにコレクションされている柴田鋭一さんも、ここにいらっしゃるんですよね。

渡邊　はい、います。この方が柴田鋭一さんです。これまで、いろいろな画材を使って描いてきましたが、近年はキャンバス地にサラサというジェルインクのペン先がカリカリと引っ掛かる感触が気に入っているようです。

柴田さんは水遊びも大好きで、今日も水がかかって濡れてしまった靴下を、描きかけの絵の横に干しています。（一同笑い）

皆さん、この作品を見てください。筆で描いたような箇所があるでしょう。それが魅力的だとよく言われるのですが、実はぬれたままの手で描いたので水性ボールペンのインクがにじんでし

「せっけんのせ」柴田鋭一

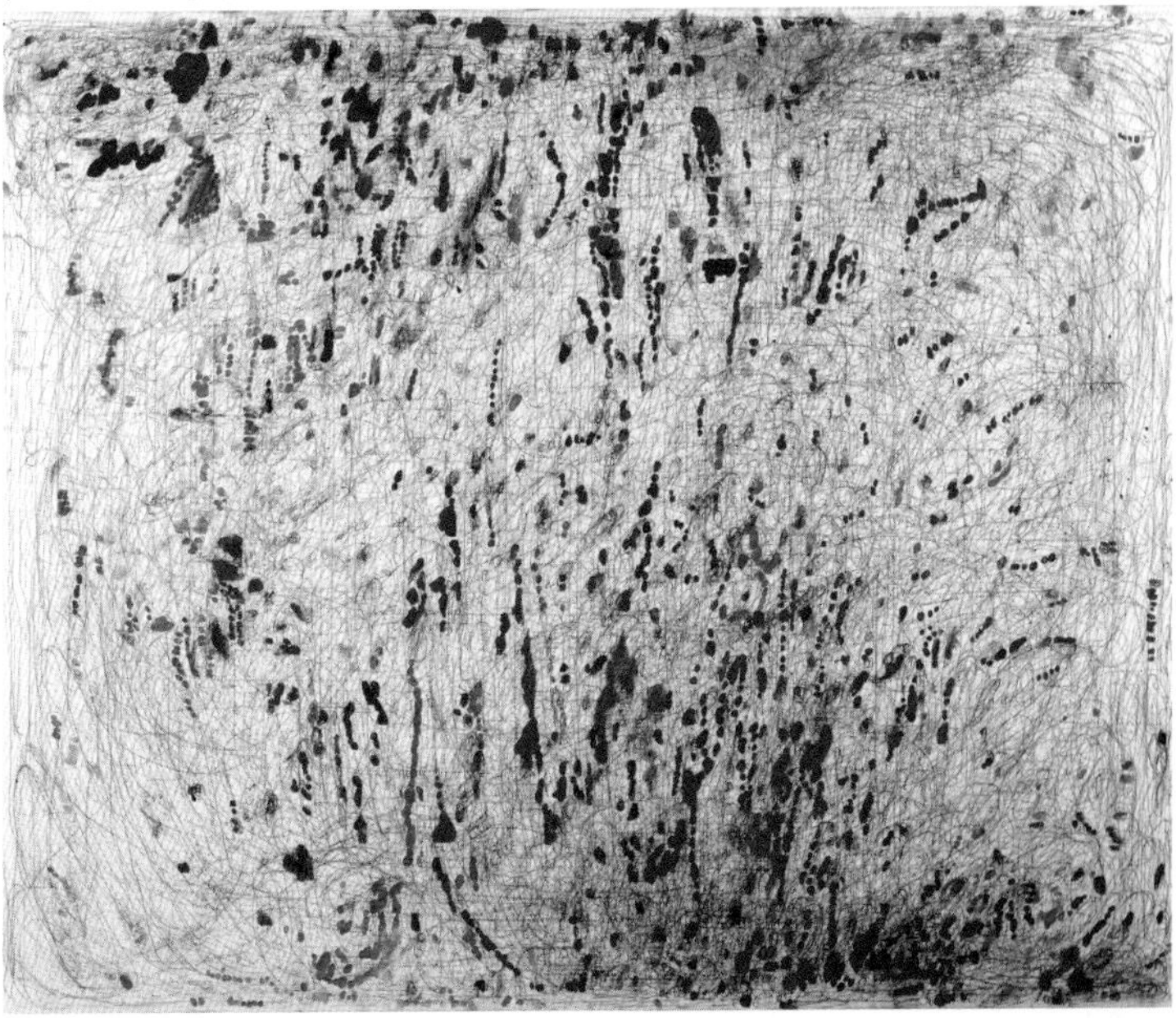

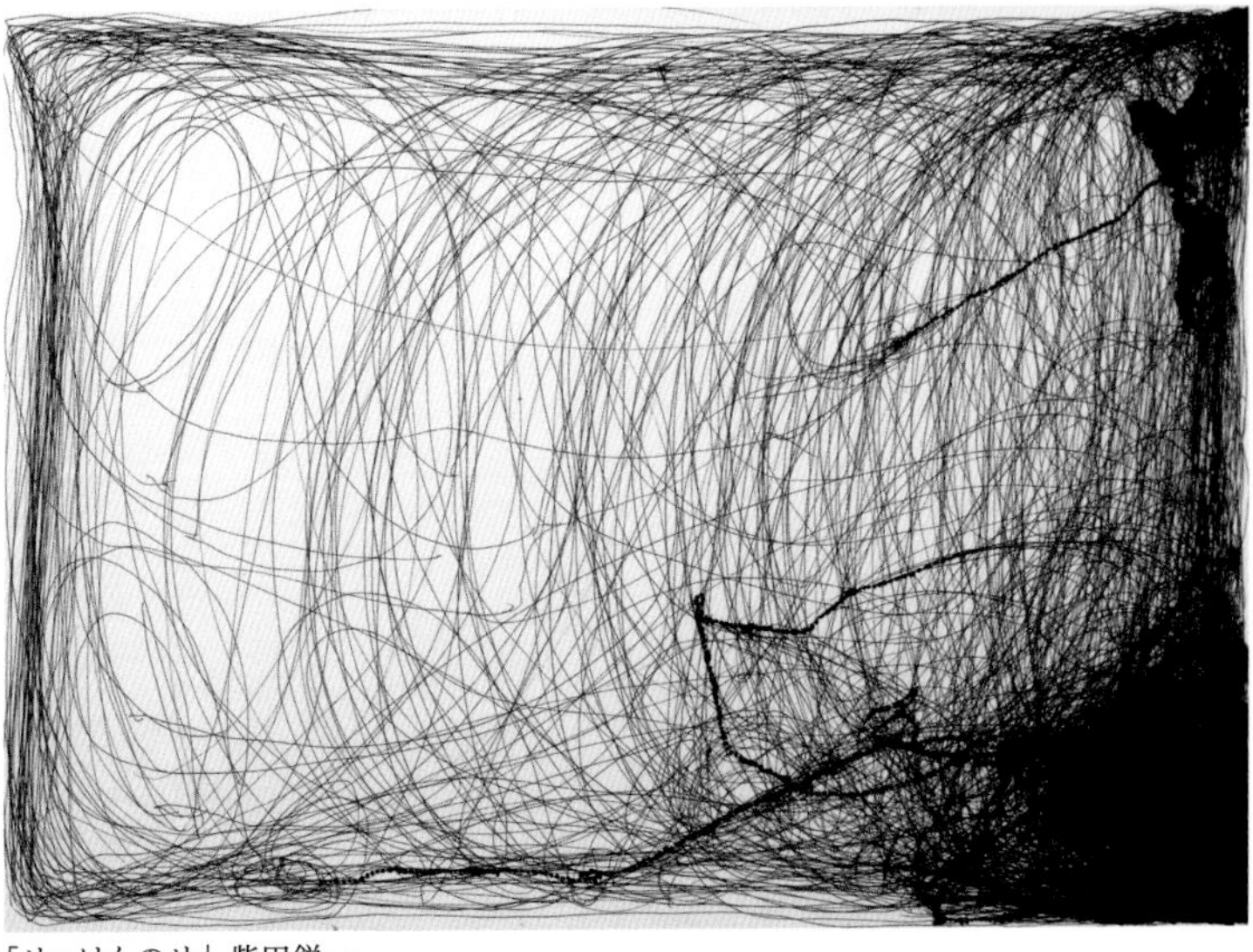

「せっけんのせ」柴田鋭一

まい、たまたまそういう表現になったというわけです。

柴田さんはニューヨークで個展を開けば作品が完売するほどの人気で、高く評価されていますが、本人はそれを理解できないので、いつもと変わらずマイペースで描いています。「せっけんのせ！」と言いながら描きますし、作品のタイトルも全部「せっけんのせ」です。その言葉の意味は謎に包まれています。

柴田さんも単純作業に適応できなかった一人です。「工房集」を立ち上げた時からのメンバーですが、絵が好きというわけではありませんでした。それがある日突然、世界的なアーティストになってしまうのですから、柴田さんには人の可能性は無限大だと教えられました。

（このお話を聞かせてもらった私たち見学者一同は、深く深くうなずきました）

どこからどこまでがアートなのだろう

「工房集」の見学に続き、歩いて5分のところにある「川口太陽の家」へと向かいました。こちらも木造平屋建てですが、「工房集」よりも大規模です。「仲間」の数が増えたので、増築に次ぐ増築で、現在の広さになったそうです。

中に入って驚きました。「工房集」の5倍以上ありそうな広さです。その広々とした空間に、絵を描く人、ステンドグラスの製作をする人、木工や織り物をする人などがいて、その傍らで職員さんが見守っています。最重度の障がいがある人のための活動スペースも設けられています。

この「川口太陽の家」と「工房集」とを合わせると約60人のアーティストが活動しているそうです。第2章「対話型アート鑑賞」で紹介した「ゾウのむれ」(64ページ)の作者である白田直紀さん、「ゾウとキリン」(72ページ)の作者である山﨑利之さんもここで創作活動を行っています。

私は白田さんの作品の大ファンなので、お会いできるのをとても楽しみにしていました。

「こんにちは、福島です」と挨拶すると、白田さんは笑顔で名刺を渡してくれました。とても明るい性格の方のようで、そこにいてくれるだけで周囲の空気が柔らかくなる感じがします。

読者のみなさんは、白田さんの「ゾウのむれ」をご覧になって、どう感じられたでしょうか。全体の構図から細部に至るまで、どこもかしこもなぜかゆがむのでグニャリとしていましたよね。不思議なものを見た、という印象を持ちませんでしたか。

ご案内くださっている職員さんによると、白田さんは自由に絵を描くことができなかったそうです。「はみ出してもいいし、曲がってもいいのよ」と伝えると、どんどん絵が自由になり、いつしか現在の作風になったそうです。

今、白田さんが描いているのは、「花」（141ページ）です。資料に使った写真と絵を照らし合わせると、「なぜこの花がこんなふうに」「どうしてここまで」と言いたくなるほど、元の花から変形しています。でも、そのゆがんだ曲線やデフォルメぶりがとても魅力的なのです。

花、動物、職員の似顔絵など、何を描いてもちゃんと白田さんの作品だと分かる個性的な仕上がりになっているのがすごい、と職員も感心しています。

本当にすごいことです。それと同じくらい、職員の方々もすごいですよ。と私は心の中でつぶやきました。

重度の障がいがあっても、その人にできる創作活動をちゃんと見つけてあげられる。そこが、

「花」白田直紀

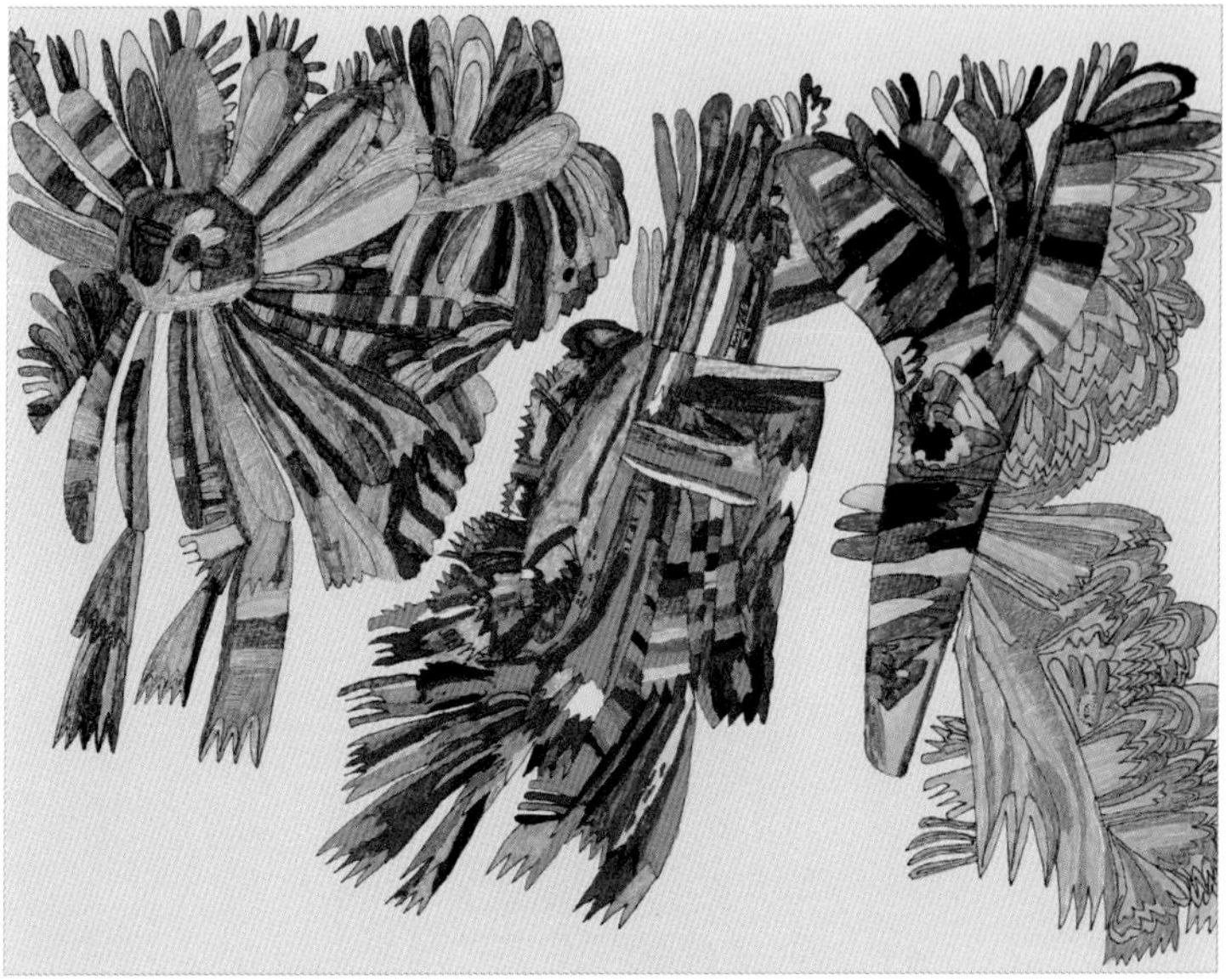

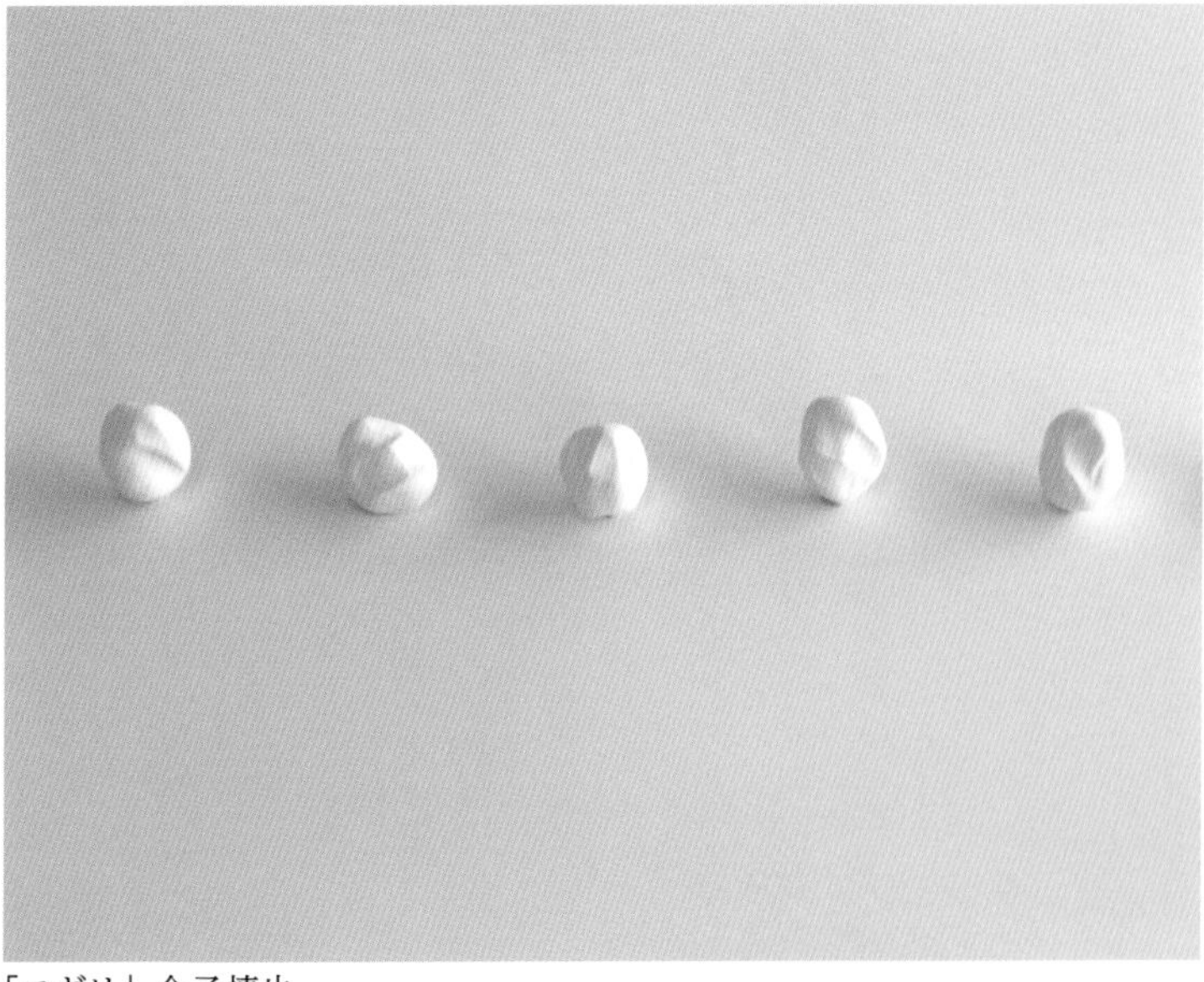

「ニギリ」金子慎也

みぬま福祉会のとても素晴らしいところです。

金子慎也さんという方の場合もそうです。金子さんは言葉を発することができず、重症心身障がいの方で、わずかに動くのは右手の指だけという状態ですが、職員がアイデアを出し合い、粘土を握るという表現方法に辿り着いたそうです。

金子さんに「今日も粘土する?」と尋ねると、瞳がうれしそうな輝きになるそうです。そしてわずかに動く指でゆっくりと、軟かい粘土をつかみ、職員の声かけに合わせて粘土を握りしめます。これを毎日続けて、毎回驚くほど違う形の「ニギリ」(141ページ)が出来上がっています。「ニギリ」をじっと見つめる金子さんのまなざしは真剣そのもので、作品が出来上がると満足そうな表情を浮かべるそうです。

金子さんの「ニギリ」は、金子さんがこの世に存在している一日一日の証しを伝えるアートです。

こういう特異な作品を目の当たりにすると、たちまち脳は脱皮を始めます。これはアートか否か、どこからどこまでがアートと呼ぶにふさわしいのだろう、なんていう常識的な価値観は吹き飛んでしまいます。


72ページで見ていただいた、山﨑利之さんの作品「ゾウとキリン」もそうです。

山﨑さんは動物が好き。中でもパンダが大好きで、たびたび絵のモチーフにしています。タイトルが「ゾウとキリン」なのに、パンダがあふれています。

ちなみに、この作品は私が発起人であり、総合プロデューサーを務める「アートの力で障がいの壁を超える」と銘打った市民芸術祭の「アートパラ深川おしゃべりな芸術祭」（※1）の全国コンペで2022年の準大賞を獲得しています。

山﨑さんはとてもきちょうめんな性格で、小さな紙にもパンダなどの動物を丁寧に描き、それをまた丁寧に切り取って、同じ色が隣接するように別の紙に貼り合わせていきます。パンダの白い部分には、きちんと白色のペンを使って色付けがなされています。

原画を近くで拝見すると、数え切れないほどたくさんの動物がひしめき合っているのですが、その一体一体すべてが見事に切り抜かれ、貼り合わせられていることが分かります。山﨑さんの動物に対する愛情の深さ、そして作品制作にかける情熱を感じます。


また、2020年の「アートパラ深川おしゃべりな芸術祭」では、田中悠紀さんの「茶太郎」（144ページ）が、この芸術祭の特別審査員としてサポートして頂いている作家の林真理子さんから「林真理子賞」を受賞しました。林さんは原画の購入までしてくださいました。

田中さんは、施設で飼っていた犬の「茶太郎」を15年以上も描き続けています。茶太郎が亡くなってからは、「茶太郎、天国から見てるかな」「茶太郎、幸せそうに笑っているよね」と言いながら、

「パンダとペンギン」山﨑利之

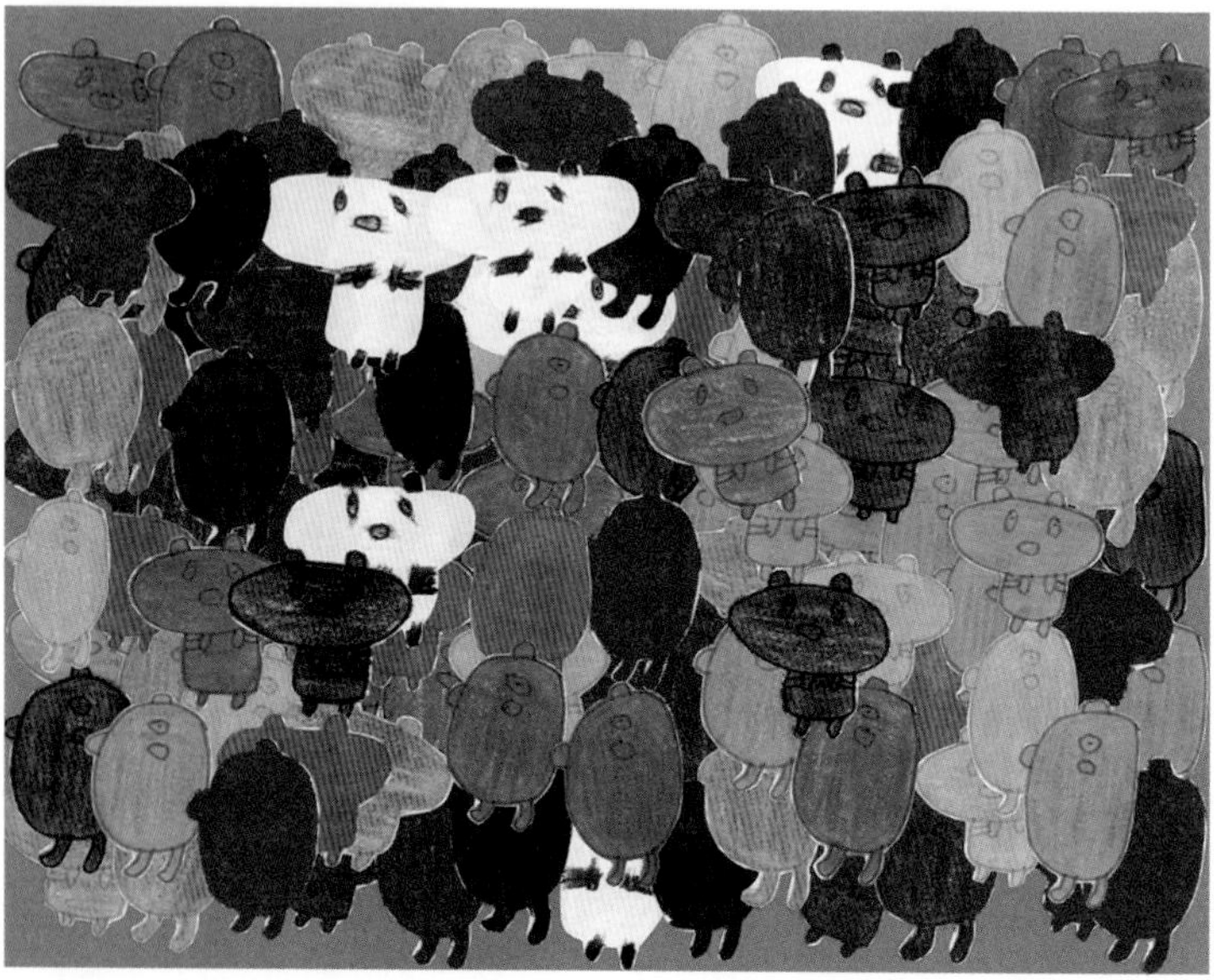

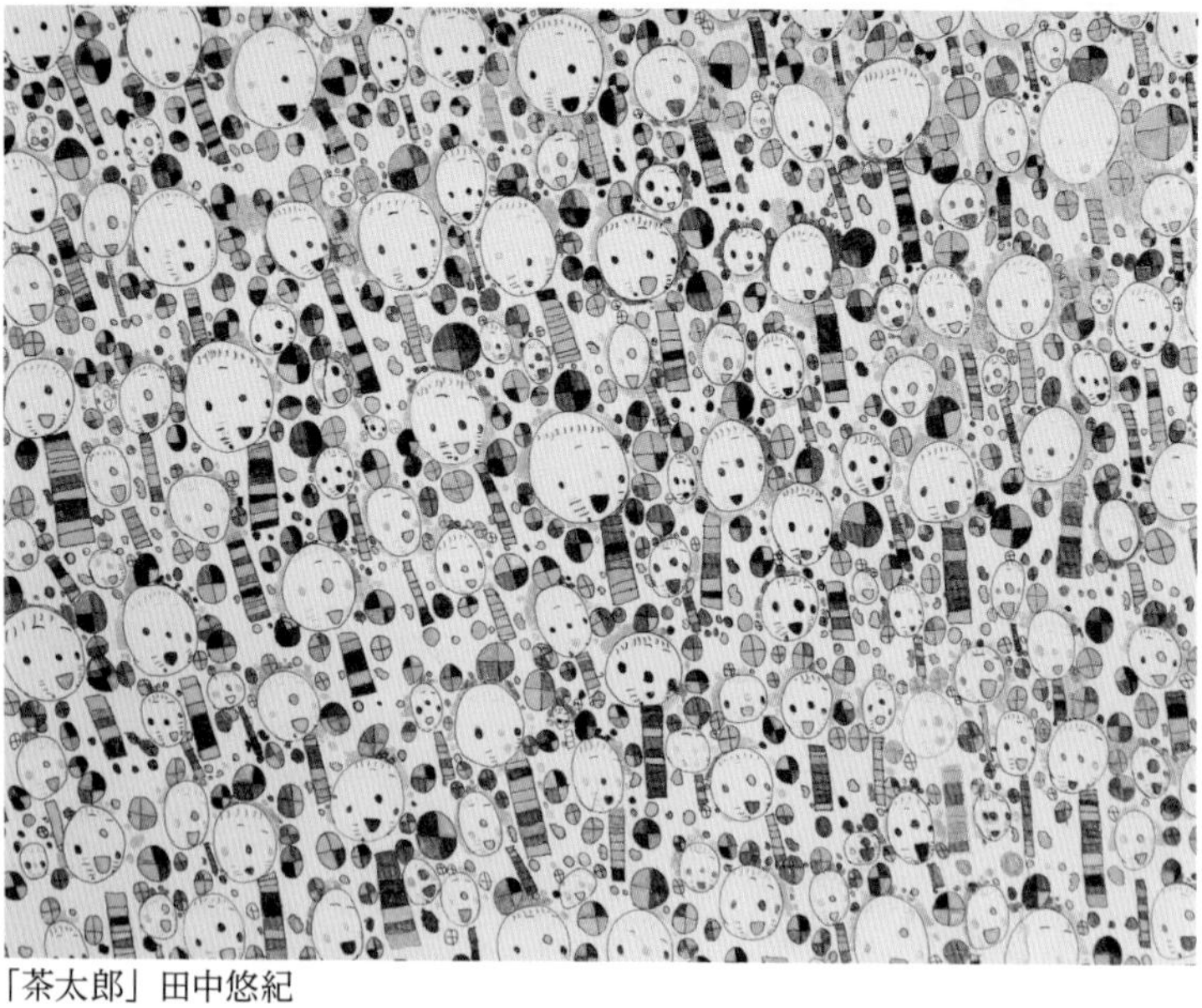

「茶太郎」田中悠紀

毎日楽しそうに、大好きな茶太郎を画用紙いっぱいに数え切れないほど描いているのです。田中さんの描く「茶太郎」はどれも笑顔です。田中さんが幸せに暮らしていることが伝わってくるような、心がポッと温まるアートです。

「茶太郎」が亡くなってもその愛情は変わらない、というのも素晴らしいです。愛するという行為の本質的な意味を教えてくれているようです。

それから、同じ「茶太郎」を描いていても、一作ごとに色の使い方や描き方が違い、それぞれに魅力的であることも素晴らしいと思います。なぜこんなに幅のある表現ができるのか、僕にはまだ分かりません。本当にすごい、としか言いようがありません。

思い出の写真のアーティスト・杉浦篤さんの作品「Untitled」（146ページ）も、感動的です。作品といっても創作物ではなく、杉浦さんが施設に入所する際に、「独りになっても寂しくならないように」とご家族が用意したスナップ写真の数々です。

そこに写っているのは、杉浦さんとご家族の日常の風景です。杉浦さんがお父さまと一緒に行った旅行など、良い思い出の場面がいろいろとあります。

杉浦さんは日々の生活の中で、ホッと一息つく夕食後の時間などに、自分の部屋でいとおしそうに写真に手を触れ、見入っています。反対に、気持ちが落ち着かずソワソワしている時やちょっと

「Untitled」杉浦 篤

したことでイライラしている時などにも、写真を見て気持ちを落ち着けていることもあります。大切な写真をいとおしむように何年も触り続けた結果、印画紙の角が削れて丸くなり、写真の一部はすり減って消えてしまいました。しかし杉浦さんは写真に触れ続けることで過去の楽しい記憶を思い起こし、心の大切な場所にとどめているのでしょう。

杉浦さんはこれを自分のアート作品だとは思っていないでしょうし、職員さんたちもこれがアートとして認められるとは思ってもみなかったそうです。ただ、杉浦さんの大事にしているものとしてギャラリーに展示してみたところ、学芸員の方の目に留まり、アートとしての価値を発見してくれたのです。あれよあれよという間に、杉浦さんの「思い出の写真」は現代アートの一つと認められるようになり、ご家族も職員の方々もびっくりしたそうです。

杉浦さん自身も驚いたのではないかと思いますが、自分の「作品」が高く評価されていることをちゃんと理解し、自作の展示会に出かける際は、スーツにネクタイできちんと正装して行かれるそうです。

杉浦さんのように、人が生きていく上で本当に大切にすべきことは何かを教えてくれる障がいのあるアーティストとたくさん出会いました。その作品は何かを声高に主張してはいないけれど、猛スピードで情報が押し寄せ、流れ去っていく、大量生産・大量消費の現代社会に警鐘を鳴らしているように感じます。

「工房集」の管理者で職員の宮本さんには心に残る素晴らしい言葉をたくさんもらいました。特に深く胸に突き刺さった言葉は、これです。

「私たち施設の職員が障がい者のアート活動を手助けするのは、社会で高く評価される作品を生み出すことが目的ではないのです。仲間が自分らしく楽しく働いて、豊かな時間を過ごせるようにすることが何よりも大事です」。

重みのある言葉に胸を打たれると同時に、常に私が考えていることがあります。

福祉にアート活動を取り入れる施設は年々増えてはいるが、何年たってもお絵描きのレベルから進化しない所も数多くある。「川口太陽の家」や「工房集」のように、世界的アーティストを輩出している施設もある。どうすれば障がいのある人々の隠れた才能を引き出すことができるのか、その秘密を知りたいと思いました。

思い切って、宮本さんに聞いたことがあります。

その時に聞いた答えは、「教え込んで絵を描けるようにすることが目的ではないので、仲間に寄り添い、関わり、一緒に時間を共有しながら、その人のできる表現を引き出していくのです」と教わりました。

「上手に描けたね。すごくいいと思うよ」と素直に認めてあげるのも良いし、一緒に楽しむことも大切だと伺いました。言葉で表現することが苦手なアーティストの心の中にあるものを、時間をかけて丁寧に対話の力で引き出し、感じながら、そっと心の耳を傾けるのだそうです。

大切なのは、障がいのある人と職員が人間として対等の関係を築き、お互いの信頼を強めていくことなのです。障がい者にとって、信頼できる人がそばにいてくれることで安心でき、ここは自分らしくふる舞ってもよい場所なのだと感じられる環境づくりをすることが一番大切なのです。

重度の知的障がいのある人にとって、アート活動と対話はとても密接で重要な行為となっています。だから、「仲間をよく観察し、よく対話をすることが大事」なのだと宮本さんは教えてくれたのですが、まさにその通りだと私も納得しました。

優れたアーティストを育てている施設に伺うたびに同じ質問をしていますが、異口同音の答えが返ってきます。

ある地方の福祉施設では、施設長さん自身がアーティストで、アートとは何かを理解している指導員の方がいらっしゃいました。そこで伺ったのは、「優れたアートを描かせようと考えたことはありません。対話を大切にしながら、自分らしさを出せるようにしていったら、それがアート活動になっていったのです。ここに通う人にとって、自宅の次に自分らしく過ごせる場所となり、自分の全てを受け入れてくれる人たちがいる楽しい場所になるように努力しているだけです」という含蓄のある言葉でした。

よく観察し、対話することで、異能のアーティストは育つ

私が親しくさせていただいている現代アートのアーティストの1人に、大澤辰男さんという方がいます。大澤さんは自身の表現活動に励みながら、東大阪市で障がい者生活介護型の福祉施設「アトリエライプハウス」を運営して障がいのある人のアート活動を仕事にしています。施設には、高い評価を得ているアーティストも多数在籍しています。

自閉症・知的障がい・発達障がいの方や子どもが本格的にアートを学べる「美術教室ライプハウス」も週4日のペースで開講しています。

例えば、かつのぶさんは14歳から「美術教室ライプハウス」に通い始め、ART DEMOCRACY INCLUSIVE ART FEST 2021でグランプリを受賞。さらに、日本のアートシーンを牽引する中心的ギャラリストである小山登美夫に認められ、2022年に小山登美夫ギャラリー天王洲で

「無題」かつのぶ

初個展「かつのぶ展」を開催、現代アーティストとして高い評価を得ています。

その大澤さんに「個性的なアーティストを育てるために心掛けていることを教えてください」と質問したことがあります。すると開口一番、「観察と対話」というキーワードが出てきたので、思わず前のめりになって、一生懸命メモを取りました。

大澤さんは、新しく教室に入ってきた生徒の一人一人をよく観察して資質を読み取り、対話を続けていくことで可能性を伸ばしているのだそうです。時には指導も必要だけど、何よりも観察と対話が重要だと語ってくれました。

さらに詳しく伺うと、大澤さんは生徒たちにまず、5色の絵の具を使って30個の風船を描かせるそうです。集中力、筆遣い、色を混ぜ合わせることが楽しめるかどうか、描く行為を楽しんでいるかどうかをよく観察するためです。

次に黒いケント紙と色鉛筆を与え、黒い紙が見えなくなるまで自由に塗りつぶしてもらうそうです。筆圧、ストローク、塗りつぶし方などはどうか、塗りつぶす根気があるかを見極めます。描くことを楽しんでいるのかも観察します。

次の段階は好きなように描かせるそうです。ここで大切なのが、描くものを自分で決めさせることです。障がいのある人には親や学校が口を出し過ぎ、手を出し過ぎるので、本人の意思で決める経験が圧倒的に不足しています。そこから変えていく必要があります。どんなモチーフを描くのか、画材は何にするのか、どのような色を使うかなど、自分で考えて判断させることが大切なのだそうです。

好きなように自由に描いていいよと言われると、健常児も障がい児も関係なく、人気アニメや漫画のキャラクターを描くことが多いようです。そこから脱却し、自分らしい表現にたどり着くために、対話を続けていきます。

比較的コミュニケーションの取れる人には、アニメキャラクターの次に好きなもの、気になるものを描いてごらんと勧めてみます。近所を歩いて気になったものをスマホで撮影してみてねと勧めることもあります。その写真を見せてもらいながら対話を重ね、一番良さそうな写真を絵に描くように勧めてみます。

そういったコミュニケーションが困難な人には、たとえば阪神タイガースの話をしたり、好きな食べ物のことや、休みの日は何してるのと聞いたりして、何気ないおしゃべりを根気よく続けていくのだそうです。

自閉症のある人は、質問を投げ掛けられても答えを返せない方が多いので、繰り返し話し掛け、

アトリエライプハウス制作風景

微妙な表情の変化を観察しながら、その人が興味を持っていそうなものを見つけるように努めます。そのことだけに何年も費やすこともあるそうです。

楽しくおしゃべりをして心理的安全性が感じられるようにしていくと、ここは自分らしくしていられる場所、自分を理解してもらえる場所だと思えるようになっていきます。少しずつリラックスできるようになります。

私は大澤さんの運営する施設にも何度か伺ったことがありますが、みんなが家族か友達のように親しげに大澤さんに話し掛けるので、とてもうらやましく思いました。親密で、血の通った温かさを感じる空気に満たされており、こうした信頼関係で結ばれているから一人一人が自分らしく振る舞うことができ、個性的な表現も生まれて来るのだと実感しました。

大澤さんいわく、もう一つ忘れてならないのは、うまい絵を描かせようとしないことなのだそうです。デッサンが正確でリアルに描ける人だけが絵のうまい人、というのは間違った認識です。日本の美術教育が生み出した弊害と言ってよいでしょう。

本物そっくりに描けていることだけが優れた絵の条件ではありません。ただそれだけの絵では、人の心を動かすことはできないのです。

アートの本質は多様性です。常識を超えて、はみ出す個性です。それがあってこそ、胸を震わす感動がもたらされます。

ところが、私たち日本人は物心つく頃から、社会で問題を起こさないようにと常識やルールを教え込まれます。そして集団に適応するすべを身に付け、空気を読むことも学びます。

片や、芸術の世界では個性やオリジナリティーが求められます。模倣は許されません。常識の箍を外し、平然と「はみ出す」能力が必要とされます。

この「はみ出す」ということを恐れず、むしろ、はみ出すことを楽しめるようになりたい、と私は思っています。障がいのあるアーティストに出会うたびに、その思いは強まるばかりです。

誤解を恐れずに言えば、障がい者は障がいがあるが故に、常識に縛られず、斬新な表現ができるのかもしれません。「はみ出す」力を神が与えたのかもしれません。

私は世界で最も応募数が多いといわれる第10回世界ポスタートリエンナーレトヤマで日本人初のグランプリを受賞し、海外のコンペにおいても多数受賞しています。しかしながら、障がいのあるアーティストの独創的な絵や造形を知るにつけ、これまで築き上げてきた自信が崩壊していくのを感じています。その圧倒的な個性の前に、クリエイターとして脱帽するしかないのです。

私が障がいのあるアーティストをサポートしたいと思うのは、ファン心理でもあり、クリエイターとして負けを認めた者が勝った相手にささげる尊敬の念でもあるのだと感じています。

障がいのある人々と創作活動を共にする上で重要なのは、「はみ出すことを面白がる」ことだと私は最近ようやく気が付きました。

肉体を持つ生き物の根源的な欲望、愛、希望、喜び、悲しみ、怒りまでもむき出しにして、臆することなく表現していることの素晴らしさを教わっています。

情動や叫びや歓喜のエネルギーにあふれていることが、単なる技巧やテクニックを飛び越えて人の心を打ち、目をくぎ付けにするのです。


（※1）アートパラ深川おしゃべりな芸術祭：障がいのある人のアートを中心とした革新的な市民芸術祭。2019年、福島治と深川出身の代議士・柿沢未途の2人が発起人となり、考え方に共感した仲間と共に一般社団法人アートパラ深川を設立。2020年11月、「第1回アートパラ深川おしゃべりな芸術祭」を開催。福島は総合プロデューサーとして参加。以後、毎年秋に門前仲町、清澄白河、森下、豊洲の四つのエリアで、街を美術館と見たて、500点以上の街中アート展示を実施。全国公募展も開催し、新たな才能を発掘、展示、表彰を行っている。地域住民数百人がボランティアで企画、運営を行い、毎回10万人以上の来場者が街歩きをしながら、アート鑑賞を楽しむ。障がいのあるアーティストの作品を使った市民芸術祭としては、日本で唯一の活動となっている。

ＭＢＡの減少衰退とアート系学びの増加

ビジネスの世界では「ＭＢＡ神話の崩壊」といわれる現象が起きているようです。これまで絶対的な信頼を得ていたＭＢＡの「分析的でアクチュアルなスキル」よりも、美術系大学や大学院で学ぶような「統合的でコンセプチュアルなスキル」が求められるようになったというのです。

２０１８年の『ウォール・ストリート・ジャーナル』は、米国におけるＭＢＡ応募者数が４年連続で減少していることを報じました。さらに２０２２年には、全米トップと広く認知されるハーバード大学で、ＭＢＡ出願者数が15％余りも落ち込み、ペンシルベニア大学のウォートンスクールでは13％減少、イエール大学スクール・オブ・マネジメントの他シカゴ大学やニューヨーク大学のビジネススクールでも、２０２４年度クラス出願者の減少幅が10％に達したとされています。

また、2016年の英国の経済紙『フィナンシャル・タイムズ』は、伝統的なビジネススクールへのMBA出願数が減少傾向にある一方で、アートスクールや美術系大学によるエグゼクティブトレーニングに、グローバル企業の多くが幹部を送り込んでいることを伝えています。

世界的な企業は、「マーケティング」を中心とした「サイエンス」だけに頼るのではなく、「アート」の持つ「直感力」や「創造的思考力」の重要性に気付いています。企業が生き残るためには、新たな視点を持ち、新たな価値観で経営や商品開発に取り組むこと、さらには人材雇用や人材育成の方法論も時代に合わせて改善することが必要な時代となっています。

データ分析だけでは未来を予測することが困難な時代です。これまで経営に大きな影響力を持っていたのが、マーケティングやコンサルティングです。これらが提供する価値は「サイエンス」に基づいた数値です。数値は事実なので、なかなか否定することができません。

ここに大きな落とし穴があります。インターネットの普及とともに、誰もが必要に応じて膨大な情報にアクセスできるようになり、そのデータを使って分析、論理的、理性的に答えを出せば、競合他社と同じような提案ばかりになってしまいます。

それにより、差別化ができなくなるという問題が起こります。経営や商品開発の意思決定が過度に「サイエンス」に振れると、どの企業も同じような提案や解決策しか導き出せない「コモディティー化」が頻繁に起きています。

世界は目まぐるしく変化するようになりました。これまでの「マーケティング」を中心とした分析的で論理的な情報処理スキルを効果的に使うことに加え、右脳を柔らかくして「アート思考」を活用することが世界的な潮流となりつつあります。

マーケティングは「集約」「分析」で、アートは「発散」「ジャンプ」です。

これからの時代は、左脳中心の「サイエンス」だけを信仰するのではなく、「アート」的な思考を取り入れ、右脳も使い「発散」や「ジャンプ」を行い、もう一度「サイエンス」で検証するなど、左脳と右脳をフレキシブルに活用することが大切です。

第5章

アートでおしゃべり・サイレント

音のある世界と、ない世界

「アートでおしゃべり」というオンラインプログラムがあります。コロナ禍により対面式のプログラムを開催することが難しかった時期に、インターネット中継で「対話型アート鑑賞会」が実施できるように開発したプログラムで、数種類のバージョンがあります。

特にユニークなのは、「アートでおしゃべり・サイレント」で、言葉を使わずにZoomのチャット機能を使いコメントを可視化しています。聴覚障がいの当事者であり、ユニバーサルコミュニケーションに関する講師も行っている薄葉《うすば》ゆきえさんと私たちが共同開発しました。

オンラインでのメリットは、世界中どこからでも参加できることです。対面スタイルだと一度の参加者は10人が限度ですが、オンラインなら100人が同時に参加することも可能です。ある高校の1学年全員に参加してもらって実施したこともあります。100人近い生徒が一気にコメントをアップすると、本当に多種多様な視点や考え方があふれ出て、すごい迫力でした。

サイレントバージョンではない場合も、チャット機能を使ってコメントの可視化ができるので、参加者は誰がどんなコメントを発言したのかを自由に閲覧することができ、「いいね」ボタンの機能も付いているので、発言する人の邪魔をすることなく場を盛り上げることが可能です。

さあ、そんなオンラインでの対話型アート鑑賞「アートでおしゃべり・サイレント」プログラムを、ここで読者の皆さんに紙上体験していただきたいと思います。

今回は前述の薄葉さんがファシリテーターを務めます。

薄葉さんはご自分の事務所から、そして参加者の皆さんにはそれぞれのご自宅から、Ｚｏｏｍで参加していただきました。

コミュニケーションの本質って何だろう

薄葉　皆さん、おはようございます。本日の「アートでおしゃべり・サイレント」プログラムのファシリテーターを担当する薄葉ゆきえと申します。よろしくお願いいたします。

私の普段の仕事は、株式会社ミライロ（※1）というユニバーサルデザインのコンサルティング会社で研修の講師やアドバイザーを担当しています。

アートでおしゃべり・サイレントバージョン［ファシリテーター薄葉ゆきえ］

社会的なマイノリティーと呼ばれる方々の社会参加や外出の機会が増えていますよね。一般企業やお店にとっては、お客さまの多様化が進んでいるわけです。そうした多様なお客さまに対する向き合い方のマインドやアクションを伝えることを目的とした研修があり、また「ユニバーサルマナー検定」というものもあるのですが、私はその研修講師を務め、ユニバーサルデザインそのものに対するアドバイザーもしています。

私自身が聴覚障がい者です。もともとは音の聞こえる世界にいましたが、子どもの頃に肺炎にかかり危篤状態になりました。幸い一命は取り留めましたが、それが原因で少しずつ聴力が低下し、20年後にはまったく聴こえなくなりました。

昨年、人工内耳を埋め込む手術を行い、音の聞こえる世界に戻ってきました。補聴器は音を増幅する装置ですが、人工内耳というのは耳に装着した機械が集音したものを電気信号に変換し、頭の中に埋め込んだ受信機に送って聞こえるようにする人工臓器なのです。

よく聞こえる人、聞こえにくい人、まったく聞こえない人など、聴覚一つを取っても、私たちの社会には本当に多様な人々が暮らしています。この社会の中でどのようにコミュニケーションを取り合えばよいのか、どのようなコミュニケーションが社会を進歩させるのかを考え続けていきたいと思います。皆さんにも本日のサイレントプログラムでの体験が、コミュニケーションの本質って何だろうと考える一助となったらうれしいです。

静寂世界のリアルを疑似体験

薄葉　この後、音がないサイレントの世界に入ります。
皆さんに「静寂」を体験していただくためです。
サイレントの世界には音がありません。
では、そこは何もない世界なのでしょうか。
それとも豊かな世界なのでしょうか。
何よりもまず体験していただくと分かるのですが、
静寂ではあっても、そこはとてもにぎやかな世界です。

テロップ――音がない世界だからこそ、
豊潤な視覚世界に没入できる。
音がない世界だからこそ、
同時多発的なコミュニケーションが発生する。

薄葉　サイレントの世界の住民の私が皆さんをご案内します。

そしてサイレントの世界で一緒に新しいアート鑑賞を体験しましょう！

非日常をポジティブに体験し、新たな気付きをお持ち帰りいただければうれしいです。

では早速、皆さんに自己紹介をしていただくことから始めましょう。

音がない世界でのコミュニケーション手段として、チャット機能をどんどん使ってください。


（参加者それぞれにチャット機能を使い、文字による自己紹介）


薄葉　チャット以外にも、大切なコミュニケーション手段があります。

まずは表情ですね。今日はカメラオンですから表情をしっかり使って気持ちを伝えてください。

それからジェスチャーも重要なコミュニケーションの手段になりますので、積極的に使ってください。（カメラの前で参加者に伝わるように大きく体を使ってジェスチャーをします）

サイレントの世界の住民の中には手話を使う人もいます。少し練習をしてみましょう。

両手の人さし指をクルクル回転させると「手話」という意味になります。

両手を顔の横に広げて手のひらをキラキラ星のように動かすと「拍手」です。

今日はこれをたくさん使ってください。
人さし指を顎の前に立ててワイパーのように動かすと「なるほど～」になります。
最後に、利き手をげんこつにしてお腹を叩くと「面白い！」を表現します。
今日はこういう手話もふんだんに使って盛り上げていきましょう！

では、お待たせしました。サイレントの世界に出発しましょう。
皆さん、音声をミュートにしてください。
私も人工内耳を外して、音のない世界の住人になります。

（画面に映っているテロップの背景が明るい緑色から黒に変わり、世界が変化したことを目でも感じさせます。薄葉さんも人工内耳を外して音のない世界に入りました。ここからは、チャットとジェスチャーを使ってのコミュニケーションとなります）

薄葉　（ここからは画面表示された文章で参加者に語り掛けています）
アートって、作家のことを知らないと分からない？　歴史を知らないと分からない？
そんなことはありません。

ピカソは、「アートは完成した後もそれを見る人の精神状態によって、なおも変わり続ける」という格言を残しました。あなたが見て、感じたことがアートなのです。

生前１枚しか作品が売れなかったといわれるビンセント・ファン・ゴッホ。

現代では、ゴッホの作品は高額で取引されています。時代によって評価が変わるということは、アートは「見る人によって価値が変わるもの」なのです。

テロップ――アート＝自分の価値観と感覚を自由に広げることができる鏡

『静寂の中の「にぎやかさ」サイレント・プログラム』

［１］他者との違いをたのしむ。スタート!!

（薄葉さんは笑顔と拍手の手話でアクションしています）

（画面に最初のアートが表示されました。ブルーの背景に、漫画のフキダシのような形が白色で描かれています）

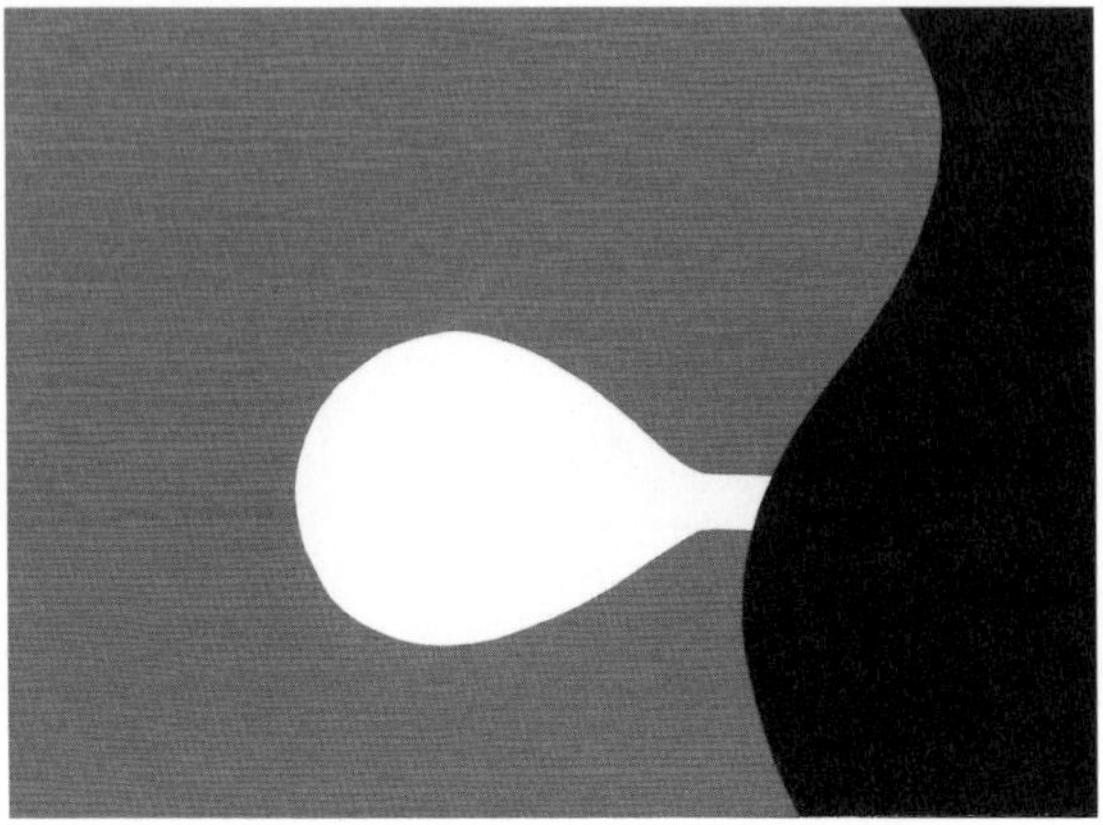

薄葉　何に見えますか？
　　　チャットに入力したらシェアしてください。

Aさん　しゃもじ

Bさん　すみません、象のオナラにしか見えません。
　　　（参加者大笑い）

Cさん　かん腸に見えました！（かん腸かよ!!）

薄葉　面白い。皆さん頭が柔らかくなってきましたね。
　　　では、こうなるとどうでしょうか？

（いきなりアートが動き始め、時計方向に90度回転して止まりました）

薄葉　今度は何に見えますか？
　頭の中を切り替えて想像してください。

Aさん　クジラ

Bさん　クジラが潮を吹く過程

Cさん　気球

Dさん　夕日が垂れている

薄葉　だんだん個性が出てきました。

（薄葉さんは、チャット発言がアップされるたびに手話や表情を使って分かりやすくリアクションをしています。驚いた表情もあれば、大きくうなずいたり、笑っ

てのけぞったりしています）

（再びアートが動き出し、さらに90度回転しました）

薄葉　今度は何に見えますか？

Aさん　五味太郎の絵本　きんぎょがにげた

Bさん　おしゃべり

Cさん　お盆

Dさん　ガムをかんで、膨らませている（笑い）

（ここでアートはまたさらに90度回転。参加者は腕組みをしたりして、頭の中で視点を切り替えている様子）

テロップ――今度は何に見えますか？

Aさん　アリの巣

Bさん　フラスコ

Cさん　涙

Dさん　涙で何も見えません（笑い）

薄葉　はい、皆さんお疲れさまでした！
このアートの作者はウルシマトモコさん。
タイトルは、「雲の涙」でした。

テロップ――セッション［1］で伝えたいこと。
タイトルや作家名など事前情報がないこ

とで発想は自由に広がる。

もし、皆さんがこのアートを最初から知っていたら前提に縛られてしまい、自由に鑑賞できなかったのでは？

薄葉　今後、美術館へ行ったときには、タイトルや作家名を見ないで鑑賞してみてください。そして、お友達やご家族と一緒に、思い付くままに「タイトル」を付け合ってみてください。きっと、自分と他者との視点の違いにびっくりすると思いますよ。

先ほど皆さんは、話し言葉ではなく書き言葉、つまり文章で、目の前にあるアートが「何に見えるか」を考えたと思います。「文章を書く」という行為は、とても創造的な行為です。なぜ創造的なのか？

文字には話し言葉のようなイントネーションの抑揚がないので、口調のニュアンスによって伝わってくる同調圧力から私たちを解放してくれます。そして、より自由な発言を私たちに促し、多様な発想とイノベーションを創出します。だから「文章を書く』という行為は、創造性と深く結び付いているのです。

テロップ――『静寂の中の「にぎやかさ」サイレントの世界』

薄葉　それでは、次のセッションです！

テロップ――『静寂の中の「にぎやかさ」サイレント・プログラム』

［2］アートを鑑賞して、まねて表現する

薄葉　ここからは、アート鑑賞と表情とジェスチャーを使う「エクササイズ」にチャレンジです。まずは、鑑賞しましょう！　そして、チャットに感想を送ってください。

（夜空いっぱいに花火が上がっているアートが表示されました。花火の下に屋形船が並び、その手にいる男女は花火の方を向いて立っています）

薄葉　次は「エクササイズ」にチャレンジです。

花火が上がりました!!

皆さん「たまや～っ!!」と顔と体で思いっ切り表現しましょう。

（薄葉さんは手を使って、花火が上がりパッと開く様子を大きなジェスチャーで表現しています。手を口に当て、空を見上げて花火に「たまや～っ！」と口を大きく開けて叫んでいます。肩を震わせて楽しそうに笑っています。そして参加者にもリアクションを促しています）

（参加者は薄葉さんのジェスチャーをまねて、画面上のアートに向かって、それぞれが考えたポーズで「たまや～っ！」と叫んでいます。薄葉さんも大喜びしながら、盛んに親指を立ててGOODのサインを出しています。それを見て大笑いするAさん、恥ずかしそうに苦笑いしているBさん。距離は離れていても、同じ一つの場所でワイワイ楽しんでいるような雰囲気です）

薄葉　お疲れさま！　アートの作者は八木ひでともさん。タイトルは「優しい花火」でした。

（続いて、これまたユニークでインパクトのある表情のアートが画面いっぱいに映し出されました。ピカソも顔負けの個性的なアートです）

薄葉　まずは、鑑賞しましょう！
　その後、チャットに感想をお願いします。

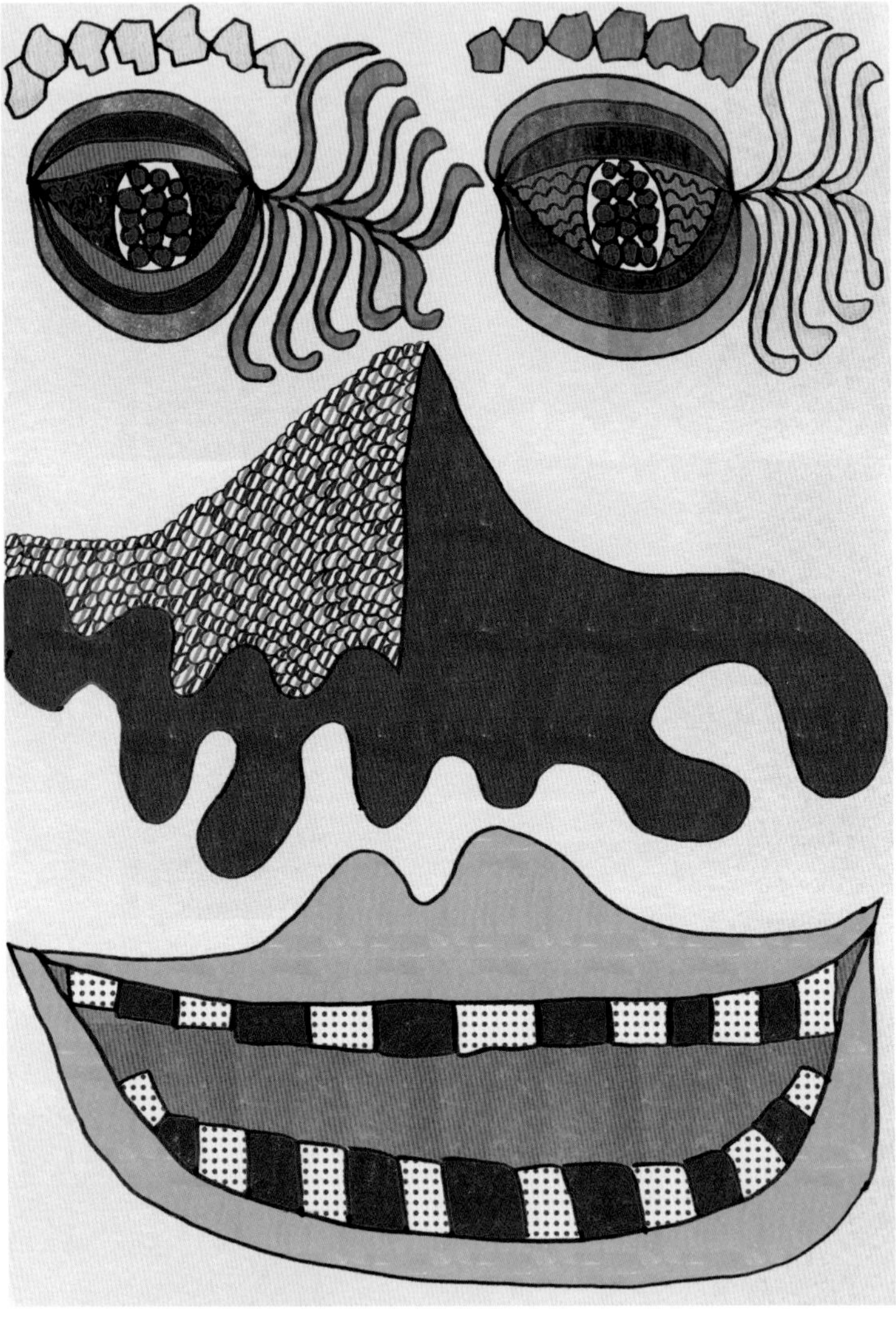

テロップ――『静寂の中の「にぎやかさ」サイレント・プログラム』

［3］続いて、アートを鑑賞して、まねて表現する「顔のエクササイズ」にチャレンジ。この絵の人の心情を想像して、表情で表現してみましょう。いきますよ～。3、2、1、はい！

（さっきの「花火」の時よりも、薄葉さんは大胆に表情をつくっています。参加者もそれぞれに「変顔」になっています。この絵の人物がいったいどのような心情だと言っているのか、読み取るのはちょっと難しい。でも参加者も薄葉さんも大喜び！）

薄葉　ふぅ～お疲れさまでした！　皆さんの表情がとっても柔らかくなりましたね。（薄葉さんも参加者も笑顔）

一言ずつチャットに感想をお願いします。入力が終わった方からシェアしてください。このアートの作者は、カミジョウミカさん。タイトルは「いつも笑顔で人気者なのに土しか興味がない海王聖人」です。（笑い）

セッション［3］でお伝えしたいこと。

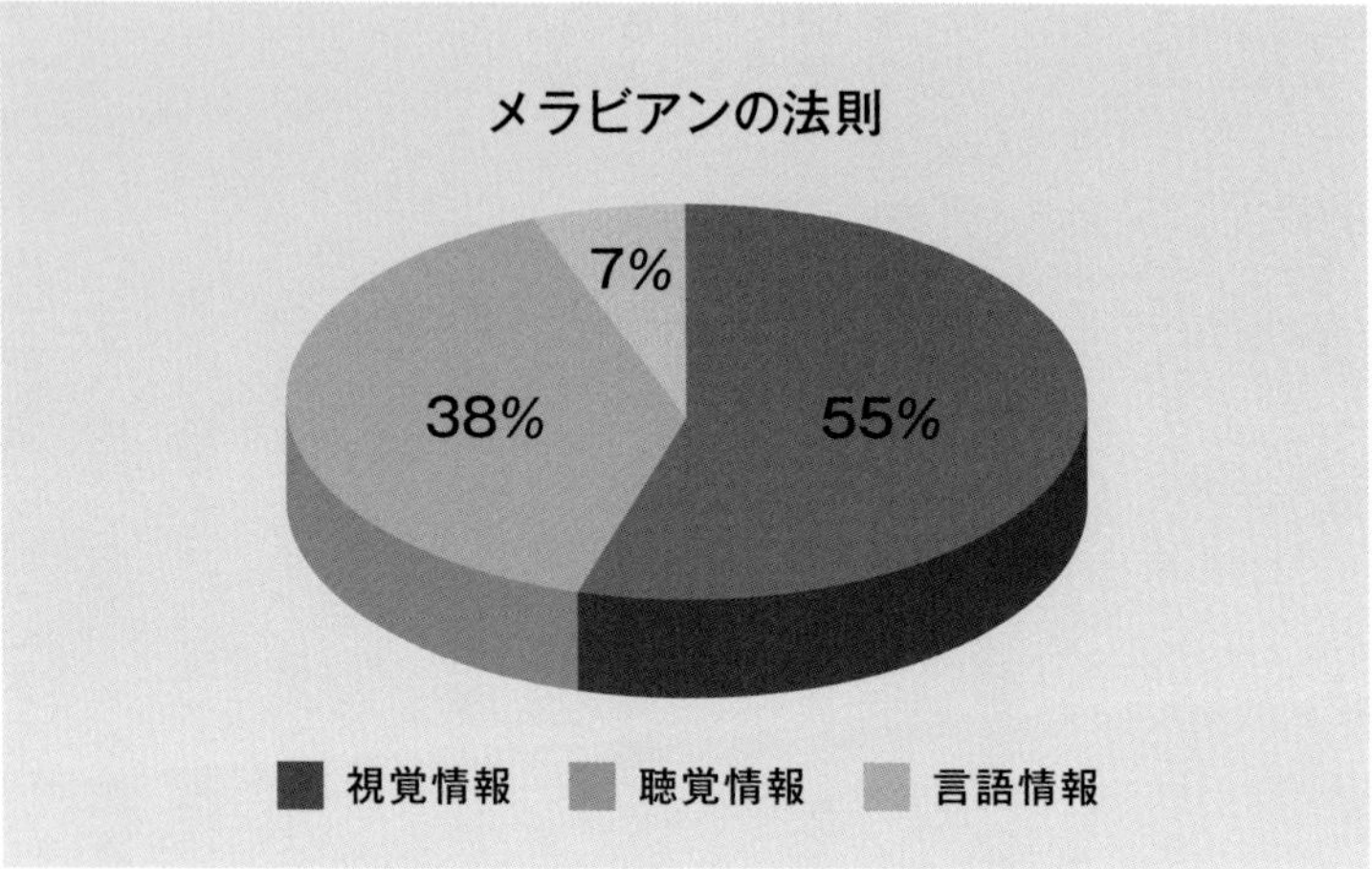

表情やジェスチャーは言葉よりも雄弁だということを、皆さまご存じですか？

話し手が聞き手に与える影響についての研究「メラビアンの法則」によると、聞き手に最も伝わりやすいのは表情やジェスチャーなどの「非言語コミュニケーション」です。表情やジェスチャーは、相手の心の直感的な部分に働き掛けます。だから声よりも情感豊かに伝わり、声よりも相手の心を動かします。

コロナ禍でマスク装着が奨励されましたね。私は相手の口元を読んで会話をしていたので、ちょっと困りました。

そんな状況でも、癒やされる瞬間がありました。相手が目まで笑ってくれた時、ジェスチャーも使って一生懸命伝えようとする気持ちが伝わってきた時、私の心は人の温かさを感じることができました。

そしてある時、ふと気が付きました。コミュニケーションが取りづらくなっているのは、私だけではないのだと。マスクによって誰もがコミュニケーションが取りづらい。そんな時期だからこそ、言葉に頼り過ぎず、いろいろな方法で「伝える」「伝わる」コミュニケーションを図ることが大切なのです。

皆さんありがとうございました。
音のない世界でさまざまな気付きをしていただいていますね。
ここまでの体験の感想を教えてください。書けた人からアップしてください。

それでは最後のセッションに参ります。

テロップ――『静寂の中の「にぎやかさ」サイレントの世界』
　［4］観察で深く味わう

（本日4点目のアートが画面上に表示されました。不思議な花畑や森に囲まれた小さな一軒家がポツンと建っています。とてもカラフルで明るい印象のアートです。
薄葉さんは、テロップやみんなのコメントに対し、必ず手話やジェスチャーを用いてコミュニケー

ションを取っています。表情豊かで、常に笑顔なので、音のない沈黙の世界であっても、参加者が孤独や寂しさを感じることはなさそうです）

テロップ――【タイトルを付けてみましょう】
　チャットに入力が終わった人からシェアしてください

（しばしの静寂。参加者は表示されたアートを観察しながら、真剣な表情でタイトルを考えています）

Aさん　メルヘンチック

Bさん　私が将来住みたい家

Cさん　早く帰っておいで！

薄葉　まさに童話の世界ですね～

Dさん　イチゴ畑

薄葉　続いて今度は「5分間」じっくり鑑賞します。
そして、気付いたことや感じたことをチャットで自由に入力しましょう。
他のメンバーの気付きも確認しながら、お互いにコメントしましょう。
それでは、今から「5分間」鑑賞タイム、スタート！

2分が経過しました。細部も見やすいように今から拡大します。まずは上側を拡大します。

(画面の上部が拡大されてアートの細部まで見えるようになる。薄葉さんはジェスチャーで「拡大」「じっくりと見るポーズ」をしています)

(画面が下にスクロールし、今度はアートの下側がアップになる。色とりどりの不思議な形の花が画面いっぱいに広がっています)

薄葉　時間になりました。皆さんお疲れさまでした！

それでは、最後にもう一度よく見て、タイトルを付けてみましょう。チャットに入力が終わった人からシェアしてください。

Aさん　花と葉っぱの競演

Bさん　「誰か助けてください～」

Cさん　私の作る庭

Dさん　天国いいとこ～一度はおいで～。（参加者大笑い）

（薄葉さんはそれぞれの個性的なタイトルに手話を使って何度も拍手。特に、Dさんのタイトルにはのけぞって笑っています）

薄葉　お疲れさまでした！

1度目の第一印象で付けたタイトルと、じっくり観察してから付けた2度目のタイトルが違っていて興味深かったです。
今から一言ずつチャットに感想をお願いします。入力が終わったらシェアしてください。

Aさん　鑑賞する人の興味や関心や心情によって見えるものが違ってきますね。

Bさん　アーティストの背景が気になります！　何を思ってこの絵を描いたのだろう……。

Cさん　周りがにぎやかだからこそ感じる孤独感。
でも、まあまあ、いいところだから安心して、みたいな感じがしました。

Dさん　今朝、自分の将来住みたい家の写真を知人が投稿していて影響されました。

テロップ――セッション［4］さまざまな気付きを得る。

薄葉　このアートの作者は秦美紀子さん。タイトルは「フラワーハウス」でした。
さて、本日はチャットを使用していますよね。文字によるコミュニケーションなので、一見で即時に内容を理解でき、また文字だからこそ、全員が同時に情報を把握できます。

音声言語のコミュニケーションでは、そこまで期待することは難しかったのでは？

これはみんなが知っているようで実は意外と気が付いていないことですね。

サイレントの世界はとてもアクティブで、クリエーティブな世界なのです。

テロップ――『静寂の中の「にぎやかさ」サイレントの世界』

薄葉　お疲れさまでした！

「アートでおしゃべり・サイレントプログラム」のすべてのセッションはこれで終了です！

それでは音のある世界へ戻りましょう。


（画面の背景が黒から緑色になり、音のない世界から音のある世界へ戻って来たことが分かります）

（薄葉さんは人工内耳を装着しました）

薄葉　ここからは声を出して進めますね。皆さんも全体の印象や感想をお話ししてください。

Aさん　チャットを活用するコミュニケーション手段は、自分の反応やつぶやきを文字として素直に発信できることが面白かったです。ジェスチャーで思いを伝えることを、これまでは特に意識して行っていませんでした。言葉を封じ、サイレントの世界で自分の思いを伝えるためには、ジェスチャーや顔の表情などが大切なんだと改めて知ることができました。

Bさん　私はまったく英語がしゃべれない状態でアメリカに行き、授業を受けても何を言っているのか分からないし、友達の輪にも入れませんでした。聞こえてはいても理解ができない寂しさを味わいました。その時の気持ちを思い出しました。
今は飲食店に向けて、英会話の接客レッスンを行っています。英語の苦手な人には、それほど英語は必要なくて、ジェスチャーだけで十分伝わるよと教えています。「これお勧めですよ！」とか「もう1杯飲みますか？」などジェスチャーと日本語でも十分に伝わり、流ちょうな英語で対応できなくても、海外から来られた方はむしろそこを求めていますと伝えています。ジェスチャーの重要性を改めて実感したサイレントプログラムでした！

Cさん　実は寝不足でして、ちゃんと集中できるのか、サイレントなので居眠りしちゃったらどうしようと心配していましたが、始まるとすごく集中して楽しめました。（参加者大笑い）画面を見て、チャットに書き込まなければならない、身ぶりや手ぶりも使うし、対面スタイルコミュニケーションよりも活動量が多いので汗かいちゃいました。でも一生懸命に言葉を紡ぎ出そうとする作業がすごく心地よかったし、言葉の深みが増したなと感じています。脳が喜び楽しんでいることを実感しました。（薄葉さん深くうなずく）

Dさん　ロンリネスは精神的につらいですけど、積極的に孤独になる「ソリテュード」という言葉が好きで、サイレントプログラムの世界でもそれを実感できたことが新鮮でした。すごく感性が研ぎ澄まされました。作品タイトルを考えるワークでは、参加者一人一人のタイトルの付け方により絵から受ける印象が全然変わりました。ビジュアルとタイトルの組み合わせの大切さ、そして怖さも改めて感じました。

薄葉　ありがとうございました。

今日の参加者は実に多様な視点を持っていて素晴らしいです。私もこれまで気付かなかったことを教わりました。

みなさんから新たなプログラムの提案につながるアイデアも頂きました。

障がいのある世界を知ることで、ユニバーサルな社会を構想

薄葉　最後にもう少しだけ、私の体験をお伝えしますね。先ほどお話しした通り、私は子どもの頃に肺炎にかかり、その後遺症として耳が徐々に聞こえにくくなって、障がい者となりました。その頃は障がいに対する理解が今ほどには進んでおらず、周りに対してはもちろんのこと、親にさえ、障がいに関することは言いにくい状態でした。障がい者だと分かったことで家族も差別されるんじゃないかとか、友達から特別視されるのは怖いなど、子どもなりにいろいろ考えて悩みながら大人になりました。

聞こえにくい、あるいは見えにくいというのは外見からは分かりにくいので、他者には理解しにくい障がいです。例えば車いすを使用している肢体不自由のある方や、白杖を使用している視覚障がい者は一目瞭然なので周りの理解も速いのですが、聴覚障がい者に対する理解はまだまだだと感じています。

私の場合は大人になってから完全に聞こえなくなり、障害者手帳を取得しました。そして、社会人として一般企業でも働きましたし、現在は株式会社ミライロという会社でユニバーサルマナー

の研修を行う業務に就いています。障がいという特性を力に変え、社会に新たな価値を創造していく仕事です。

サイレントの世界の住人となり、さまざまな体験をしてきましたし、いろいろと深く考えることもできました。

人工内耳の手術を受けたのは、音のない世界の住人になって10年目のことです。実はもっと早い段階で手術を勧められていたのですが、聴覚障がいについても、もう少しわが身をもって探究してからにしようと考え、延期していたのです。

先天性の聴覚障がい者の場合、早期に人工内耳を装着しないと、人工内耳の効果がない人もいるそうです。

私は音のある世界を経験していたので、人工内耳を装着した後、聞こえを取り戻すのが早かったのですが、人工内耳の手術を受けたからといっていきなり聞こえるようになるわけではありません。最初は機械が出すような変な音や雑音しか聞こえませんでした。脳が音を学習し直さなければならないのです。

音読を聞くオーディオブックを使い、聞こえた音と言葉の意味を脳の中でつなげるという答え合わせのような練習をしたり、YouTubeを見て、聞こえてくる音と字幕を脳内で重ね合わせるなどのリハビリを行いました。そうして半年くらいかけて少しずつ音が理解できるようになりました。

ある日、買い物をしてお店を出ようとした時に、店員さんが「ありがとうございました」と言った言葉がスッと脳に入ってきました。「ありがとうございました」とはっきりと聞こえ、ハッとして、心がフワッと温かくなりました。それで、音のある世界に戻ってきたんだなぁと実感したのです。ありがとうという心に響く言葉だったからこそ、脳が喜びの感情と一緒に過去の音の記憶を呼び出したのだと思います。


そうした経験からも気付きがあり、聞こえるか聞こえないかの問題はコミュニケーション全体から見ればほんの一部分なんだと学びました。

多言語社会の国々に比べれば、ここ日本で暮らしてコミュニケーションが取りづらいと痛感する場面などほとんどないでしょう。話が通じて当たり前、聞こえて当たり前、なのです。

だからこそ、非日常としてサイレントプログラムを体験していただくことで、コミュニケーションの本質に触れることができるのではないだろうか、と私は考えました。それが、このプログラムを開発することになったきっかけです。

現在の私は、聞こえることと聞こえないこと、それぞれに強みもあれば弱みもあると、実感として理解しています。聞こえないからコミュニケーションが取れないとか、聞こえるからコミュニケーションが取れるとかいうことではないと、身をもって知ったと言えます。

言葉を駆使してのコミュニケーションにもさまざまな段階がありますね。単なるおしゃべりや無駄話に終わる場合もあれば、とても大事な情報を交換できる場合もあります。心と心がつながった、とうれしくなることもあります。

相手に何かを真剣に伝えようとしているとき、また真剣に受け取ろうとしているときは、時間の密度が増すように感じられます。同じ言葉を使ったコミュニケーションでも、その時々の私たちの意識や目的によって、伝え合うことの意味合いや重要度が異なってくるものです。そこに気付くと、コミュニケーションの本質が見えてくるのではないでしょうか。

（参加者一同、盛大に拍手）

（※１）株式会社ミライロ：バリア（障害）をバリュー（価値）に変える「バリアバリュー」を提唱しており、障害のある当事者の視点を活かしたユニバーサルデザインのコンサルティング事業を展開。社会性と経済性の両立を図り、社会に存在する「環境・意識・情報」のバリア解消に取り組むことで、誰一人取り残さない社会の実現を目指している。バリアフリーマップのデザイン制作サービス、ユニバーサルマナー検定、障害者手帳をデジタル化したサービス「ミライロＩＤ」など幅広い革新的なサービスを提供している。

ニューロ・ダイバース人材に世界が注目!!

米国のシリコンバレーから始まった「ニューロダイバース人材」という革新的な考えをご存じでしょうか。これはつまり、脳の多様性を生かせる人材雇用や人材開発を促進していこうということです。

自閉スペクトラム症（ＡＳＤ）や注意欠陥多動性障がい（ＡＤＨＤ）、学習障がい（ＬＤ）などの発達障がいを持つ人の中には、高い集中力と分析的思考能力を持ち、ＩＴ能力にも突出した才能を発揮する人が多く存在しています。作業環境になじむまで多少時間がかかる場合もあるでしょうが、適切な訓練を受け、わずかな介助設備があれば、生産性の高い社員になることが明らかになっています。

こうした情報の発信源となった米国では、神経発達の多様性を持つ人々の就業率が着実に上昇し、ニューロダイバースな資質を持つ人材と企業をつなぐ仲介事業者まで誕生しています。こうした動きは、世界各地に広まっています。

その先駆となった国の一つ、オーストラリアの社会サービス省は、自閉スペクトラム症のソフトウェアテスト係はそうでない人より30％も効率が上だと発表しています。また国防省は、自閉スペクトラム症の人はサイバーセキュリティー侵害の可能性を分析するスキルが「ずばぬけている」としています。

英国の雇用主向けガイドブック『活用されていない才能』は、自閉スペクトラム症の特質に着目し、細かいことに気付く注意力、高いレベルの集中力、信頼性、素晴らしい記憶力、技術力などを列記するとともに、必要とされる静かな作業環境、感覚器官を休ませる時間、作業に関する明確な指示、照明器具の取り換えなど、簡単な介助手段についても触れています。

ニューロダイバース人材を導入した先駆的企業は、そうした人々が備えるプロフェッショナルな特性、例えば欠勤率の低さ、仕事に全力で取り組む姿勢、会社に対する忠誠心などから、さまざまな恩恵を受けています。

日本の採用試験では、対面での面接が苦手な人は真っ先に落とされてしまうでしょう。それでも、かろうじてですが、ゲームやデジタル機器をユーザーの視点でチェックするデバッグ業務などにおいて、発達障がいのある人を雇用する企業が現れ始めています。

２０２２年10月には、武田薬品工業を中心に、日本橋にゆかりのある企業・団体が連携して、「日本橋ニューロダイバーシティプロジェクト」を発足しました。発達障がいを含む脳や神経の違いを、優劣ではなく多様性として尊重し合う社会を目指しているとのことです。

しかしながら現状はまだまだ厳しく、世界に後れを取っています。障がい者の法定雇用率を達成するために、社会的責務としての採用にとどまっている企業はまだよい方で、そもそも障害者雇用促進法を理解していない企業も少なくありません。

世界をリードする企業は、障がいのある人に対する視点が日本の場合と１８０度違っています。先進各国のまねであっても構わないので、ぜひ後を追ってほしいものです。

第6章

「シブヤフォント」革新的なチームビルディング

敏腕プロデューサー磯村歩と「シブヤフォント」

渋谷駅から徒歩5分、若者の街のど真ん中にある渋谷区文化総合センター大和田。その8階に「一般社団法人シブヤフォント」のオフィスが入っています。優に300平方メートル以上はありそうなとてつもなく広いスペースです。ここはショールームにもなっていて「シブヤフォント」の額装されたアートが40枚以上イーゼルにセットされてずらりと並び、「シブヤフォント」の文字や絵を使ったグッズも多数展示されています。

シブヤフォントは、渋谷区の福祉施設に通う障がいのある方々が描いた文字や絵を素材として、渋谷区にある専門学校桑沢デザイン研究所の学生たちがデザインしたもので、渋谷区公認のパブリックデータとなっています。これが多くの企業や組織の目に留まって採用され、多種多様な商品や広報物に用いられています。

オフィスの奥から、シブヤフォント共同代表であり、フクフクプラス共同代表でもある磯村歩が、「どうも、どうも～!」と笑顔で現れ、出迎えてくれました。太めの黒縁眼鏡に黒のスーツ、髪の毛もきっちりセットされており、おしゃれな敏腕プロデューサーという印象です。

彼は1966年、愛知県常滑市に生まれました。金沢美術工芸大学を卒業後、富士フイルムに入社して、ユニバーサルデザイン・ユーザビリティー評価・デザイン思考など、デザインの領域拡大に取り組んできました。まさにデザイナーのエリートでした。

ユニバーサルデザインという言葉が出たことからもお分かりの通り、磯村の関心は、障がいのある人々へと向かっていたのです。

そのきっかけとなったのが、前職の富士フイルム時代、視覚に障がいのある人が自社の商品「写ルンです」というコンパクトカメラを使っていることを知り、とても驚いたことです。「写ルンです」という安価なカメラは、どこでも購入できる身近な商品で、旅先で気軽に手に入れることができ、誰でも簡単に写真を撮れることで人気を集めました。

目が不自由な人のために特別に開発した製品ではないのに、視覚に障がいのある人たちはどのように使ってくれているのだろう。そう考えた磯村が調べてみると、「写ルンです」は全焦点レンズで、近くでも遠くでもピントが合うので、撮りたい方向に向けてシャッターを押すだけでいいのです。取扱店にカメラごと渡せば、現像とプリントを同時に行ってくれます。出来上がった写真を家族や友人に見せ、「こういう景色が写っているよ」「こっちには誰と誰が写っているよ」と聞かせてもらうと、楽しかった旅や外出の思い出を分かりやすく共有することができます。

出張スタイルの「対面型アート鑑賞」実施風景

視覚障がいのある人は、そのようにして「写ルンです」を活用してくれていたのです。「シャッターはここ」と触覚で確かめることができるし、ちゃんとフィルムが巻けたか、シャッターを押せたかは音で確認できます。そうしたところも使い勝手が良かったようです。

どんな所に出掛け、どんなものを食べ、どんなことをして楽しんだか、言葉で説明しても伝え切れないものがあります。でもそこに写真があれば、言葉以上の臨場感をもって伝わり、家族や友人との会話が盛り上がります。そういうことをかなえてくれる便利なカメラが「写ルンです」であり、視覚に障がいのある人にとっては便利なコミュニケーションツールでもあったのです。

障がいのある人とない人を隔てているバリアが、ちょっとした道具一つで簡単に取り除けるとは意外でした。磯村はそこに驚いたのです。気付かなかったこと、知らなかったことが他にもたくさんありそうだ、と考えました。この時の経験が、彼を現在の仕事へと導く大きな契機となったそうです。

探究心の強い磯村は、2008年に思い切って富士フイルムを退社し、日本の介護の現場を学ぶためにホームヘルパーの資格を取得しました。さらに福祉先進国のデンマークに渡り、障がい者と共に暮らしながらさまざまな学びを得られる学校に入学しました。この留学経験により、デンマークと日本の福祉を比較し、日本の未来に対する大いなるイマジネーションを得たそうです。

「支援する人」「支援される人」に分かれてしまうのではなく、また一方通行の関係ではなく、障がいを強みに変えられる共創関係をつくってこそ、理想の共生社会が生まれると確信しました。

帰国後は、株式会社グラディエを設立し、独自に開発したコンパクトモビリティーの発表、世田谷区内の福祉施設と協力しながら、チャリティースイーツギフトを中心とする「futacolab（フタコラボ）」の事業を行ってきました。

磯村はまた、帰国してほどなく、ダウン症の女性が描いたアートに出会い、それまで感じたことのない衝撃を受けました。画面から色彩が湧き上がるような、とても自由で、ポジティブなエネルギーが感じられる作品だったそうです。

「本当に素晴らしい。うまいとか下手とかいうレベルを突き抜けている。僕も美大を卒業したが、こんなふうに人の心をわしづかみにする作品はとうてい描けない」と磯村のアートに対する概念が揺さぶられました。

磯村も私と同じく、障がいのある人が描くアートの魅力を知ったことにより、アートに対する価値観が大きく変わったのでした。まさに転機です。それ以来、私たちは、障がいのある人の強みの一つとしてアートや創作物を社会に届け、新たな視点や価値観を生み出すための活動を続けています。

最強のチームの力で福祉を変えていく

「シブヤフォント」は、渋谷区の区長・長谷部健氏が2020年開催予定だった東京オリンピック・パラリンピックに向けて、「渋谷の魅力をアピールし、もっと渋谷を好きになってもらえるグッズを作りたい。新しい渋谷土産を生み出したい」と考えたことから始まりました。

その開発に当たっては、渋谷区内の福祉施設と学生とが協力して開発するという条件が付けられました。「障がいがある人たちの創作活動をもっと広く知ってもらえるものにしたい」という願いがそこには込められていたのです。

世田谷区内の福祉施設と協力関係を結んだ実績のある磯村に、渋谷区障がい者福祉課から連絡が入りました。これまでにない渋谷土産の開発を一から手伝ってほしい、というのです。

磯村は即答で引き受け、自身が教壇に立つ専門学校桑沢デザイン研究所の学生たちに協力を呼び掛けました。また、障がいのある人の創作活動を開花させ、デザインとつなげる実践活動と研究をしている Laila Cassim（ライラ・カセム）さんというグラフィックデザイナー、デザイン活動家に声を掛けて開発チームを結成しました。

シブヤフォント・パターン画像

まずは、チームメンバーと共に渋谷区内の福祉施設に通いつめ、障がいがある人の表現活動をじっくり観察させてもらうことにしました。そこから、さまざまな可能性を模索していくのです。

障がいがある人の表現活動は多種多彩です。文字を描くことが好きで、そればかり描いている人もいます。またある人は、描いたアートのどこかに可愛いキャラクターが隠れていることがありました。そうした一つひとつをよく観察し、さまざまな発見を重ねる中で、「フリーハンドで自由に描いた文字をフォント化する」「アートはパターンデータとして使えるようにデザインする」というアイデアが生まれました。

「フォント」というのは、デザイン的に統一された一そろいの文字群のことです。日本語仮名文字の場合は「あ」から「ん」までの48文字、英語ならAからZまでの26文字です。この一そろいがフォントデータとして用意されていれば、それを活字として使ったり、印刷物や商品にも展開することができます。


専門学校桑沢デザイン研究所の学生たちには、そのデザインセンスを生かし、フォント化の可能性がある文字をセレクトすること、形を修正することを担当してもらいました。足りない文字があれば、描いた人が追加で描いてくれるまで、みんなが根気よく待ちました。

文字だけでなく絵からパターンを作ることもできます。絵の中から特に魅力的な部分を見つけて切り出し、それを素材としてアートにしたり、他の作品と組み合わせてコラージュ的なパターンにすることも可能です。

そうして取りそろえた素材をデータ化し、インターネット上に公開することで、世界中のどこからでもダウンロードでき、パソコンで自由に使うことができます。ここがシブヤフォントの革新的な仕組みです。さらに素材として活用することで、商品や広報などにも展開が可能です。そこまで完成されたデジタルシステムは、これまでどこにも存在しませんでした。

プロデューサーとして卓抜の能力を発揮する磯村と、デザインを学ぶセンス抜群の学生たち、グラフィックデザイナーのライラさん、そして、障がいのある人の表現の素晴らしさ、こうしたみんなの力が掛け合わされ、最強のチームとなり、世界初の画期的なパブリックデータとしてシブヤフォントが誕生しました。シブヤフォントには現在、フォントデータが62種類あり、パターンデータは463種類あります。

2018年からは、磯村だけでなくフクフクプラスのメンバーもシブヤフォントの活動に参加しました。シブヤフォントを使った商品を渋谷ヒカリエで期間限定販売するなど、普及のためのイベントを開催することで、広く一般の方々に知ってもらおうという広報活動です。そうした積み重ねが功を奏し、キヤノン、ユニクロといった大手企業やさまざまな団体から問い合わせが入るようになりました。

企業や団体がフォントやパターンを使ってオリジナル商品を作り、商業活動のために使う場合は使用料を請求し、福祉施設の工賃として還元するシステムにしました。個人利用に限り、フォントは無料、パターンはワンコインで使用することができます。

また、シブヤフォントの発表から3年目には、あのグーグルがシブヤフォントの仕組みを高く評価して「グーグルフォント」として3書体を購入してくれました。これにより、日本の障がいのある人が描いた3種類の文字は一気に世界に広まり、世界中の人が自由にダウンロードして使えるようになりました。

こうしたうれしい事例はさらに広がりを見せています。2022年には、ファッションセンターしまむらの子ども服ブランドのデザインとして採用され、おしゃれな子ども服となって全国約300店舗で販売されています。

ユニクロ原宿店・クリスマスキャンペーンの室内装飾にもシブヤフォントが採用されました。

他にも、さまざまなブランドとのコラボ商品が続々と生まれています。

渋谷区職員の名刺、渋谷区役所のサインや看板などにも採用されています。渋谷の新名所である渋谷スクランブルスクエアのシブヤスカイスーベニアショップでは、一般のブランド店と軒を並べてシブヤフォントのオリジナル品である渋谷土産の菓子、雑貨などが常設販売されています。

シブヤフォント、パターンを使用したさまざまな商品

「シブヤフォント」は、2019グッドデザイン賞をはじめとして、ソーシャルプロダクツ・アワード2021大賞、IAUD国際デザイン賞2020金賞、台湾のゴールデンピンデザインアワードのベストデザインなどを受賞しました。毎日新聞の一面トップを飾り、NHKでも紹介されました。

2021年には「一般社団法人シブヤフォント」を設立し、2022年からシブヤフォントの仕組みを全国に広げるプロジェクトを開始しました。初年度は公益財団法人日本財団の助成を得られ、スタートアップすることができました。

それぞれの地域において、障がいのある人とデザイナーがチームを組んで「ご当地フォント」を作製すれば、地域が誇る自慢の事業となります。「ご当地フォント」は、日本中の障がいのある人やデザイナーたちの新たな仕事を創出する画期的なプロジェクトです。

シブヤフォントは東京の渋谷区で生まれ、全国の「ご当地フォント」となり、急速に仲間を増やしています。私たちは「ニューヨークフォント」や「ローマフォント」、さらに「カイロフォント」や「カトマンズフォント」など世界各国各地の「ご当地フォント」へと拡大していくことを本気で目指しています。

グーグルから購入オファーがあった時点で、「えっ、ほんとかよ。シブヤフォント、すごい！」「まさか夢じゃないよね」「現実だよ。やったね！」とメンバー全員から驚きと快哉《かいさい》を叫ぶ声が上がりましたが、シブヤフォントはその後も躍進に次ぐ躍進で、今や飛ぶ鳥を落とす勢いで社会に広がっています。

これまでの常識を超えたチームづくりや仕組みのデザインが、これまでの福祉の常識を突破する社会変化を生み出しているのです。

元航空管制官・蔭山幸司と「シブヤフォント」

そしてここにもう一人、病が原因で障がい者となったことで、生き方を変えて私たちの仲間になってくれた人がいます。

蔭山幸司さんは元航空管制官という異色のキャリアの持ち主です。

蔭山さんは幼い頃からの夢だった航空管制官の試験に合格し、以来25年にわたるキャリアの中で、空港の管制塔や航空管制センターの現場に勤務し、その実績を買われて「空の道」の設計業務、さらには霞が関に産官学が集結して国の航空計画や将来設計をする際の座長として活躍してこられました。いわば、スペシャリスト中のスペシャリストです。

蔭山さんはまた、国土交通省の職員である航空管制官に義務付けられた定期的訓練における、人材育成プログラムの開発リーダーを務めました。そして訓練教官、教育統括の任も担ってきたという、特別なキャリアの持ち主です。

順風満帆の蔭山さんでしたが、ひそかに病魔が忍び寄っていました。

残念なことに、蔭山さんはある日突然、脳梗塞に襲われて病院に担ぎ込まれました。それが三度、30歳、39歳、40歳と繰り返されました。

航空管制官は多くの人命を預かる責任の重い仕事です。一瞬の判断ミスが事故の原因となりかねません。もしも勤務中に脳梗塞で倒れたら、と想像するだけで全身が粟立つほど恐ろしくなり、現場を離れるという苦渋の決断をせざるを得ませんでした。

三度目の入院中に、蔭山さんはたまたま見ていたテレビのニュース番組で「シブヤフォント」のことを知り、目がくぎ付けになったそうです。そして早速シブヤフォントのウェブサイトを検索し、障がいのある人が生き生きとアート活動を行っている写真を見て心底驚いたそうです。

「障がい者の社会参加は難しいとされているが、デザイナーと共働し、お互いの強みを生かしていくと、こんなにすごいことができるのか。これこそ究極のチームづくりだ」と、病床にいるにもかかわらず興奮してしまったそうです。病に侵されて弱った体の内側から、再び働く気力と勇気

シブヤフォント制作風景

が湧き上がってきました。

その時の蔭山さんは病に侵され、小さい頃からの夢だった航空管制官の仕事を続けることが困難になり、精神的にも落ち込んでいました。たとえ障がいがあってもチャレンジできることがたくさんあることを「シブヤフォント」が教えてくれたのです。

お互いの長所を効果的に活用するチームの可能性や革新的な仕組みに、暗闇の森でさまよっていた魂が救われたような気持ちになりました。航空管制官になったばかりの頃に見た、台風一過の晴れ渡った空の美しさが蔭山さんの胸によみがえりました。

なぜ、「シブヤフォント」が蔭山さんをそこまで感動させたかというと、航空業界が巨大で強力なチーム産業だからです。飛行機は一人では飛ばすことはできません。航空業界の「商品」は、たった一つ、「絶対的な安全と安心」だけです。この目に見えないたった一つの商品をつくり出すために、世界中の専門家が国境や専門性の垣根を越えて「強力なチーム」をつくり上げているのが航空業界なのです。蔭山さんの「シブヤフォント」に対する感動は、自分の想像を超えた人と人とをつなぐチームづくりに心を揺さぶられたからなのです。

三度目の脳梗塞で入院、後遺症も残ってしまい、沼の底に引きずりこまれ、もがいていた時に「シブヤフォント」を知り、芥川龍之介の小説に出てくるような蜘蛛の糸が天から目の前に下りてきたと感じました。小説とは違い、蜘蛛の糸は切れることなく蔭山さんにセカンドキャリアに挑戦する勇気を与えてくれました。その糸はフクフクプラスにもつながっており、私たちの新たな人材育成プログラムにも光を当ててくれました。

航空管制官のキャリアにピリオドを打ち、これまでの人材育成の経験を生かし、2021年に『未来を創る人に空のチームマネジメントを』というミッションと、『「土」を耕して、理想の環境を手に入れる』というビジョンを掲げた、人財共育を事業とする株式会社 Trust Walk を創業しました。Trust Walk のロゴタイプには「シブヤフォント」のヒーローフォントを使用しています。ヒーローフォントの制作者である障がい者の田代和裕さんとの出会いも蔭山さんの視野を広げ、考え方をポジティブに変える出来事でした。

これまでの自分は、航空業界の発展や人財共育にだけ人生を傾けてきたことに気付きました。人財共育とは人を生かすための考え方です。もっと多様な人々が必要とする人財共育を社会に届けることを決心しました。

脳梗塞により障がい者となりましたが、自分とは違う障がいのある人やシブヤフォントとの出会いは、蔭山さんの価値観をポジティブに変容する出来事でした。多様性という言葉が体の中に静かに広がり、脳が脱皮し、世界の見え方が変わった自分に気が付きました。

対話型アート鑑賞・アートファシリ! シブヤ

翌2022年には、シブヤフォントの文字やパターンアートを使った「対話型アート鑑賞」のファシリテーターを養成する「アートファシリ!シブヤ」の講座に蔭山さんが応募してくれました。その講座ではプログラムを開発した私も講師を務めていました。

講座を終えた後、受講者に「皆さん、百聞は一見にしかずです。実際のファシリテーションを一度体験してみましょう」と提案しました。私は大学で学生たちに教える際も、自ら体験して考え、そこから学ぶという自律性を重視しています。講義を聞いて知識を増やすことも大事ですが、体験を通じて「知」を得ることはさらに大事だと思っているのです。

一人ずつ順番にファシリテーションを行ってもらい、最後に、自分なりに考え付く「改善点」を発表してもらうという方法を取りました。各人各様の改善方法が出ました。教わるより自分で気付き、考えることが大切です。

蔭山さんのファシリテーションは完璧でした。「あなたに教えることはもう何もありません、今日から対話型アート鑑賞のファシリテーターとして活動して大丈夫です」と私はコメントしました。これはお世辞や励ましで言ったのではなく、蔭山さんのファシリテーションはその時すでに、蔭山スタイルの「対話型アート鑑賞」として確立されていたのです。すごい人がいるものだな、と驚きました。

直感的にもっと詳しく蔭山さんのことを知りたいと思いました。

フクフクプラスの「対話型アート鑑賞」は、障がいのある人のアート作品を使った、観察力や創造的思考力をアップする独自性のある人材育成プログラムです。すでに5000人以上が体験し、手応えを感じていましたが、フクフクプラスのメンバーはクリエーティブやデザイン教育、福祉の専門家で、人材育成やキャリア開発者としては初心者です。あまたあるキャリア開発の専門的な企業が行っているプログラムに対抗する論理性や説得力が、まだまだ不足していると感じていました。

蔭山さんは「Trust Walk」を立ち上げ、自ら開発した人財共育プログラムである「空のチームマネジメント」を医薬品業界や医療機関などに提供していました。私は「アートファシリ！シブヤ」での蔭山さんを知り、ただ者ではないと感じて「Trust Walk」のウェブサイトを読み込み、学ぶべきものがそこにあると確信しました。「空のチームマネジメント」の人財共育プログラムを詳しく聞かせてほしいとお願いしました。

「空のチームマネジメント」は、悲しい事故を繰り返さないため世界中の専門家が国境や専門性の垣根を越え『絶対的な安全と安心』を確立させるための英知や蔭山さんの経験を結集させた論理的で説得力のある人財共育プログラムでした。蔭山さんからレクチャーを受けながら、胸が高鳴り、血液の潮流が激しくなり、脳が覚醒していくのを感じました。

シブヤフォントやフクフクプラスの活動に勇気をもらったと言う蔭山さんは、恩返しの気持ちもあり、本来なら企業秘密である情報を全て開示することを快諾してくれました。

磯村と髙橋に「蔭山さんの人財共育プログラムには、対話型アート鑑賞をブレイクスルーさせるための武器があった！」と興奮冷めやらぬ気持ちを伝えました。

「対話型アート鑑賞」×「空のチームマネジメント」を掛け合わせた『脳が脱皮する美術館』の新しいプログラム開発が始まりました。

セレンディピティーから生まれる多様なイノベーション

ノーベル賞の受賞者や歴史に名を残すほどの芸術家にインタビューをすると、「セレンディピティー」という言葉がたびたび登場するようです。セレンディピティー、言い換えるなら「ひらめき」のことです。実はビジネスの世界においても、近年注目を集めている能力の一つがセレンディピティーです。アイデア勝負の新商品開発にセレンディピティーを役立てようというわけです。

その成功事例としてよく知られているのが、化学メーカーである3Mが開発した「ポスト・イット」という製品です。同社は強力な接着剤の開発が思うように進まずにいたのですが、ある時研究員が、楽譜に挟んであった紙がはらりと落ちるのを見てアイデアを思い付きます。「接着剤の弱さを生かして、本のしおりを作ったらどうだろう」。このひらめきから、ポスト・イットが開発されました。

もう一例、挙げてみましょう。今や世界中の人が使っているX(旧ツイッター)は、元は社員が遊びとして作ったショートメッセージ交換ツールでした。それが社内で人気となり、仕事中もこのツールを使って「おしゃべり」する社員が後を絶たなかったため、幹部が詳細な状況を調べたところ、このツールには中毒性があり、一度使いだすとやめられないことが判明したのです。そこでツールに改良を重ね、一般向けサービスとしてリリースされたのが現在のX(旧ツイッター)で、これが大当たりしました。「ひょうたんから駒」、戯れのことが事実になったというのか、意外なところから思いがけないことが起きたということから、X(旧ツイッター)を含むSNSやブログを「セレンディピティーエンジン」と呼ぶことがあります。

わが国では、刃物の製造販売を行っているオルファ株式会社が有名です。創業者の岡田良男氏は、印刷会社での仕事中にかみそりの刃をすぐ捨てることをもったいないと感じていました。岡田氏は路上で靴底を削るのにガラスの破片を使い、切れ味が鈍るとさらに割って使っている靴職人を見た際、終戦後に進駐軍の兵士たちが折り筋の入った板チョコをかじっていたことを思い出しました。その二つが結び付き、カッターも同じように折って使うという発想を得ました。岡田氏がセレンディピティーを得たことで、この刃を折る形式のカッターが世界中に広がったのです。セレンディピティーを得るための入り口は観察力と想像力です。

セレンディピティーを起こしやすくする三つのポイント。

［1］さまざまなことに興味を持ち、行動量を増やす
［2］何事に対してもオープンマインドで接する
［3］物事をポジティブに解釈する

セレンディピティーは特定の人だけが手にする幸運や才能ではなく、新たな価値を生み出すアイデアをつかむために、誰にでも備わっているスキルと考えてみましょう。

第7章

人のつながりが生む、最強のチームづくり

空のチームマネジメントとは

統計学的な観点からすると「世界で最も安全な乗り物は航空機」になります。統計資料を元に計算したところ、毎日飛行機に乗り続けたとしても400年に1回しか事故に遭遇しないほど安全性は高まっています。だから機長もキャビンアテンダントも定年まで安心して働くことができるのです。

この「絶対的な安全と安心」は、世界中の専門家が国の違いを乗り越え、専門性の垣根を取り払い、長い年月をかけてつくり上げた航空システムの万全さに裏打ちされています。

それでも不幸にして事故が起きてしまうことはあります。なぜなら、人間はミス犯してしまう生き物だからです。「空の安全」を保証する万全のシステムがあるのはよいとして、それを支えているのは人間です。コックピットで操縦桿を握るパイロットや機内スタッフ、航空管制官、整備士など、それぞれに持ち場の異なる何十人、何百人もの人が互いに信頼し合い、一つのチームとして万全に機能する必要があります。

そこでまず重要となるのが、「人は必ずエラーをする」というファクターを大前提として押さえておくことです。どれほど優秀で、どれほど経験豊富な人物であっても、エラーをする危険性はゼロにはなりません。その危険は個人の力で防げるものではありません。複数の人がチームを組み、チームの力でエラーをカバーしていく以外にありません。航空業界では、そこに重きを置いた訓練と人材育成が盛んに行われているそうです。

最初に航空業界が取り組んだのが、過去の事故から学び、ヒューマンエラーを極限までなくすことで「絶対的な安全と安心」を目指すことです。

航空事故が起こった時にブラックボックスやフライトレコーダーが回収されましたというニュース報道をご覧になったことがあると思います。実は、航空業界はコックピットや航空管制官は全て録音されているというユニークな業界なのです。

航空業界の安全への取り組みにおいて、事故原因を徹底的に究明し、そこから学ぶ文化があります。うまくいかない要因を徹底的に排除しようとする考え方の安全マネジメントを「Safety-I」と呼び、長年にわたる取り組みにより、飛躍的に事故を減らすことができました。

しかし、ある時点から事故が起こる確率を減らせなくなりました。

それまで、事故が起きた「うまくいかなかったこと」に焦点が当てられ、それ以外の「うまくいっ

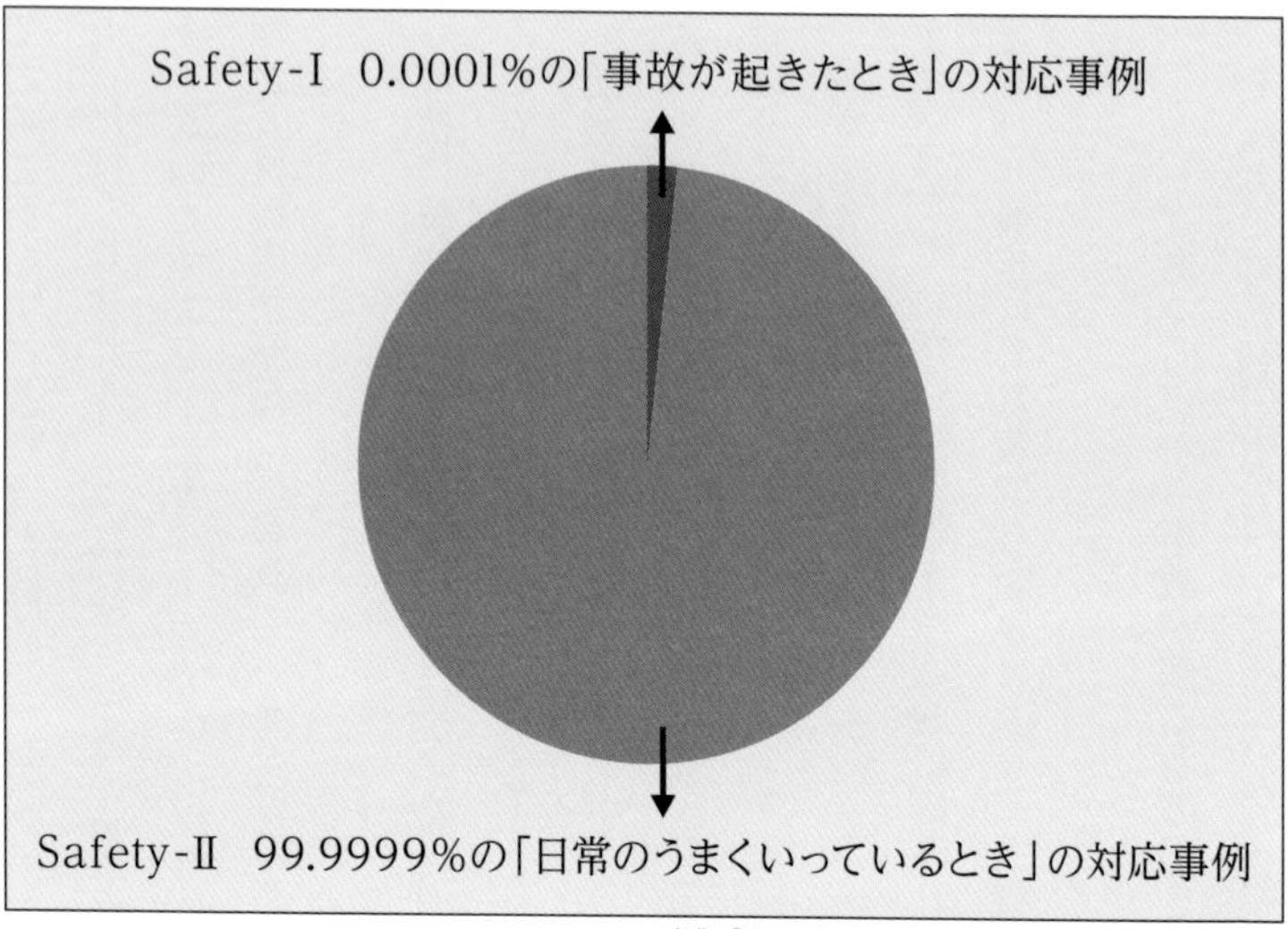

出典：『From Safety-I to Safety-II　A White Paper』

ていること」には、あまり焦点が当てられることはありませんでした。

そこで、平常時の「うまくいっている状態」から「なぜうまくいっているのか」ということを知ろうという「Safety-Ⅱ」の発想が生まれました。

言い換えると「Safety-Ⅰ：うまくいかないことを防ぐ」から「Safety-Ⅱ：うまくいっている理由を知る」への発想の転換です。

「うまくいっている状態」を分析すると、誰かがミスをしても他の誰かが気付き、ミスをカバーすることで事故を未然に防いでいることが分かってきました。この圧倒的に「うまくいっている状態」、つまりチームのメンバーが補完し合って事故が起きていない状態を分析することで、さらに事故を減らせると考えました。

次に挙げたのは、NASAが人的要因に起因した航空事故の原因を徹底的に研究した結果です。

［1］コミュニケーションエラー
［2］意思決定のエラー
［3］リーダーシップのエラー

この三つの原因でほとんどの事故が起こっていたことが分かりました。逆に言うと、この三つをなくせば空はもっと安全になるということです。

蔭山さんは25年間の航空管制官のキャリアで培った「ヒトづくり、チームづくり、環境づくり」をフクフクプラスの「対話型アート鑑賞」のチームビルディングに提供してくださいました。貴重な情報を惜しげもなく授けてくれた蔭山さんです。その口調はとても柔らかく温かみがあるとともに、確固たる信念を感じさせるものがあります。

蔭山さんがファシリテーターとして進行する「対話型アート鑑賞」は、まさに「アートを使った人材育成とチームビルディング」のプログラムと言ってよく、この鑑賞会に参加すると、前掲の情報の他にも有益なことをたくさん学ぶことができます。

空の安全と安心を確保するスキルとして、操縦技術などを高める「テクニカルスキル」とチームコミュニケーションスキルなどの「ノンテクニカルスキル」の二つがあります。蔭山さんは、長年にわたり「ノンテクニカルスキル」を高める究極のチームづくりの人材育成リーダーとして開発や研修の現場をけん引してきた人でした。

私は、「Safety-II」と「対話型アート鑑賞」はとても親和性があると感じました。

蔭山さんがなぜ、「対話型アート鑑賞」を高く評価してくれるのかを詳しく知りたくなりました。

ある時、意を決してその疑問をぶつけてみました。

「理想のチームビルディングは、一言で言うと職場の空気をつくることなのです。職場の空気が良くないと、間違った発言が許されない雰囲気になってしまいがちです。ちょっとした違和感や予兆を感じても、間違っていたら怒られるので黙っていようと思います。

昔は機長の権威が強過ぎて、違和感を感じても発言しにくい空気がコックピットを支配しており、それが悲しい事故につながったケースがありました」と教えてくれました。

「対話型アート鑑賞は、観察力や創造的思考力をアップさせて『自考自決』できる能力を高められ、チームでの『対話』が楽しくなり、空気が柔かくなるのです」とも話してくれました。

理想的な職場の空気とは、例えば出社した時にみんなに向かって、「いやーっ、昨日のサッカー日本代表の試合はすごかったよね！」と話し掛け、みんなも「そうそうすごかった、感動したよね！」と会話ができる自由な空気をつくることが重要なのです。そうした空気の中から斬新なアイデアが生まれたり、気になったことをちゅうちょなく発言できて、ミスをお互いに補完し合える関係が理想的な職場なのです。

航空業界は、人間は必ずミスをするという「脳の特性」を十分に理解して、個々の責任ではなく、究極のチームをつくる仕組みを作り上げました。チームの力でミスをカバーしていく考え方を徹底させたことで、航空機は世界で最も安全な乗り物になったのです。

「対話型アート鑑賞」×「空のチームマネジメント」

今日は、蔭山さんとフクフクプラスが開発した「対話型アート鑑賞」×「空のチームマネジメント」を使った新たな人材育成プログラムを体験していただくために、5人の参加者がシブヤフォントのオフィスに集まってくださいました。

髙橋の対面型プログラムに参加された人、薄葉さんのオンライン型プログラムに参加された人、初めて対話型アート鑑賞を体験される人もいます。

紙面に限りがあるので、新プログラムと従来の「対話型アート鑑賞」との違いを抜き出して分かりやすく説明いたします。

従来の「対話型アート鑑賞」との違い、三つのポイント。

［1］専用の記入シートを配布して、体験から得た学びを自分の言葉として可視化する
［2］鑑賞後に説明ボードを使い、学びを論理的に理解する
［3］ビフォア、アフターの違いを体験を通して明確に理解、自分事化する

新プログラムでは、対話型アート鑑賞が人材育成としての効果を発揮するために、一つのアート鑑賞に時間をかけて、論理的な説明を丁寧に行い、振り返りなどを織り交ぜて進行します。それでは、ここから蔭山さんにバトンタッチいたします。

皆さん、こんにちは。
本日のファシリテーションを担当する蔭山幸司です。
よろしくお願いします。

空のチームマネジメント × 対話型アート鑑賞実施風景

私は25年間、航空管制官の仕事をしていました。その中で人材育成にも携わっており、「対話型アート鑑賞」と「空のチームマネジメント」を融合したプログラムをフクフクプラスさんと開発しました。

今日は、チームビルディングの人材育成に注力した「対話型アート鑑賞」を体験してください。


空の世界では「人間は必ずミスをするという大前提（ヒューマンファクター）」を基に優れたチームをつくり上げています。どんなベテランでも必ずミスをする可能性があるのです。国境を越えて空は一つにつながっているので、コックピットや機内スタッフ、整備士、そして航空管制官が「究極のチーム」をつくり上げています。

航空業界の最も大切な「商品」とは「絶対的な安全と安心」です。このたった一つの商品を提供するために、世界中の専門家が究極のチームになっています。

実は、現在最も安全な乗り物が航空機なのです。統計資料を元に計算したところ、毎日飛行機に乗ったとしても４００年に1回しか事故に遭遇しないほどに安全性は高まっています。


機長は絶えず地上管制塔の航空管制官と連絡を取り合っています。飛行高度や進路のこと、離発着の誘導も、管制官の指示に基づいて実行されます。

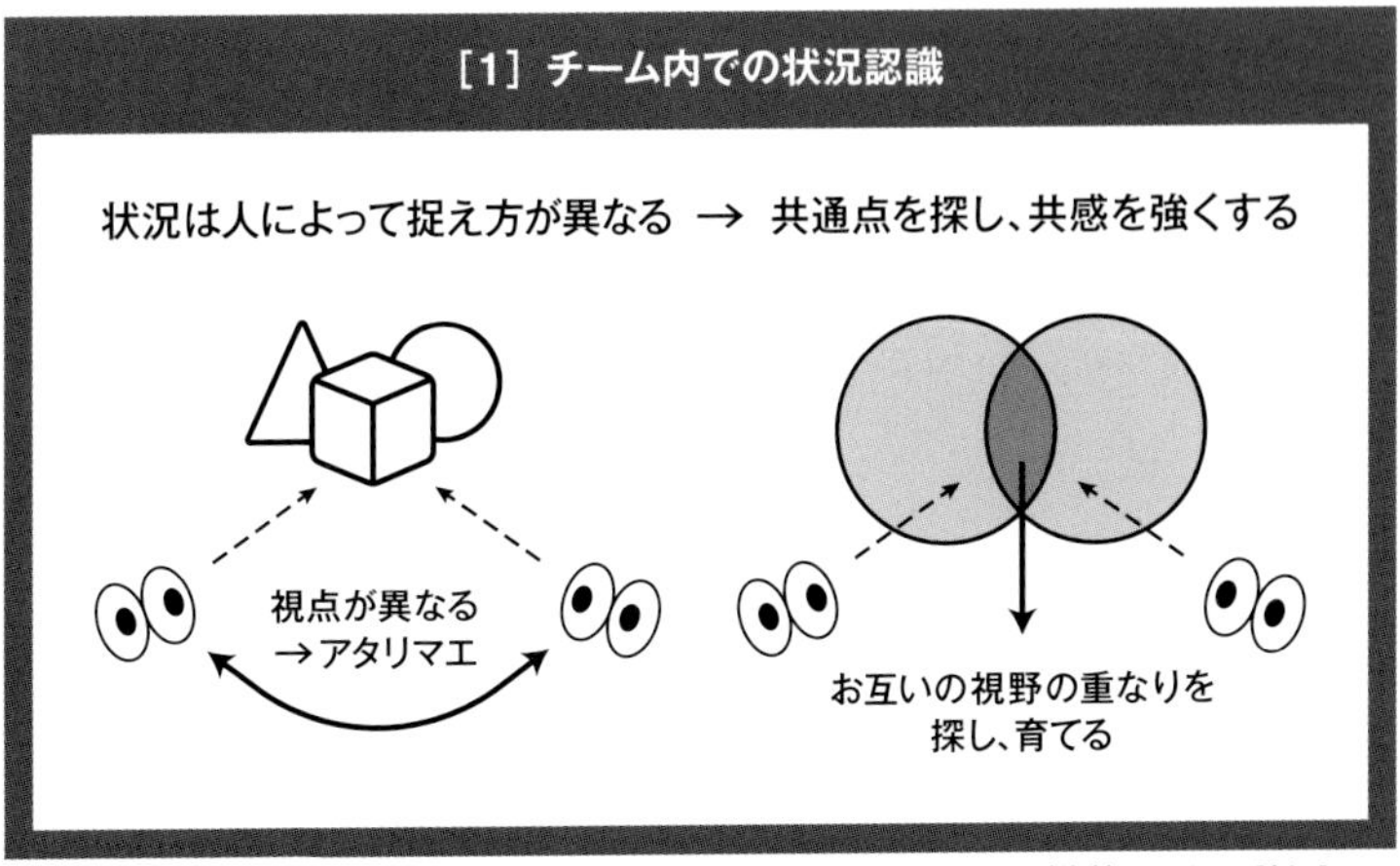
[1] チーム内での状況認識
状況は人によって捉え方が異なる → 共通点を探し、共感を強くする
視点が異なる
→アタリマエ
お互いの視野の重なりを
探し、育てる

出典：株式会社Trust Wark「空のチームマネジメント」資料／Design：Chie Inoue

管制塔には複数の管制官が控えており、総力を結集して常に正しい指令を送ることを最重要任務としています。先輩と後輩、男女の違いも関係なく、誰もが自ら適切に状況判断をし、必要とされる情報を伝え合うことが求められます。

誤解のないよう付け加えると、何事も一人で決めるのではなく、報告または相談すべきかどうかということも含めて「自考自決」できることが重要なのです。

「自考自決」と「究極のチーム」が機能するために、最も大切なのが「対話」です。この三つの重要性をプログラムを通して学んでいただけるとうれしいです。

今日の「対話型アート鑑賞」は、シブヤフォントで制作されたアートを使います。皆さんに記入シートをお配りしていますので、これに書き込んでいただきながら進めさせてもらいます。

最初のアート鑑賞はアーティスト名もタイトルも伏せて、アートをじっくり観察して「自由にタイトルを付ける」ことを行ってもらいました。

その結果、同じアートを見ても一人ひとり発見や感じ方が違いましたよね。

それぞれ個性的でユニークなタイトルが出てきました。皆さんはＡＩではなく、人間の心を持っています。それぞれに違うバックグラウンドを持っているので、同じ絵を見ても見え方や感じ方が違って当然です。これが多様性なのです。

では、この体験を踏まえて「空のチームマネジメント」のお話をいたします。

この説明ボード［1］（231ページ）をご覧ください。情報認識は人によって異なります。これを仕事に置き換えてみましょう。

日本人ってあうんの呼吸が好きですよね。

「何となく分かるだろ」とか、「皆まで言わなくても分かるよな」などと、上司や先輩が新人に対してそんなオーラを出していることがあります。

成田空港では、あうんの呼吸廃止運動を行っていました。状況認識は人によって違うので、わざとみんなで声を出そう、分かってるけどちゃんと声に出して伝えよう、ということにしました。

［質問なしの原画］

Title：やあ！ Artist：いく子さん・けんさん Designer：小池彩果

視点が異なれば状況認識も違います。（皆さん納得）
ただし、違っていてもどこかに共通点があるはずです。この共通点を探して育てていってあげるとミスがなくなり、チームは強くなるのです。

二つ目のアート鑑賞は、アートを裏返し、参加者に見えないようにして、「言葉だけでアートを伝える」プログラムです。参加者には言葉だけを頼りにどのようなアートなのかを想像してスケッチを描いていただきます。

ただし、ルールとして参加者からの「質問はなし」とします。説明する人の一方通行のコミュニケーションだけで行います。

使用するアートは不思議なキャラクターが描かれたシンプルなアート（233ページ）です。説明を引き受けてくれたAさんには、5分間ひたすら言葉だけでアートを説明してもらいます。参加者はひたすらAさんの説明にじっと耳を傾け、どのようなアートなのかをスケッチしてください。

（その結果が235ページのスケッチです。バラバラだね）


「えっ！　なんで私だけ2匹いるの？」

「描いている途中で混乱して修正不可能になっちゃった」

［説明者への質問なしで描いたスケッチ］

「途中で心のシャッターが閉じた」
「聞いた順番にディテールを積み重ねたら不思議ちゃんができた」

一人一人が、かなり異なった個性的なキャラクターを描きましたね。原画と比べても、相当なイメージの隔たりを感じます。

説明していただいたAさんは、それぞれのパーツをとても丁寧に説明してくれていましたが、もしかすると全体像をキャッチすることができなかったので、参加者は混乱してしまったのかもしれませんね。（全員が納得して首をタテにふりました）

それからAさんはある言葉を多用されていました。何だと思いますか。「ちょっと」という言葉です。でも、「ちょっと」は人によって違うと思いませんか？

例えば、「ちょっと」という言葉の意味は人によって違います。1センチでもちょっとですし、10センチもちょっとかも知れません。ですから航空管制官は、ちょっとという言葉は使いません。ちょっと右側にではなく、2歩右側にとか、20センチ右側になど、基準となる物差しを示して情報のズレがないように伝えています。

[2] 相手の話を理解するプロセス

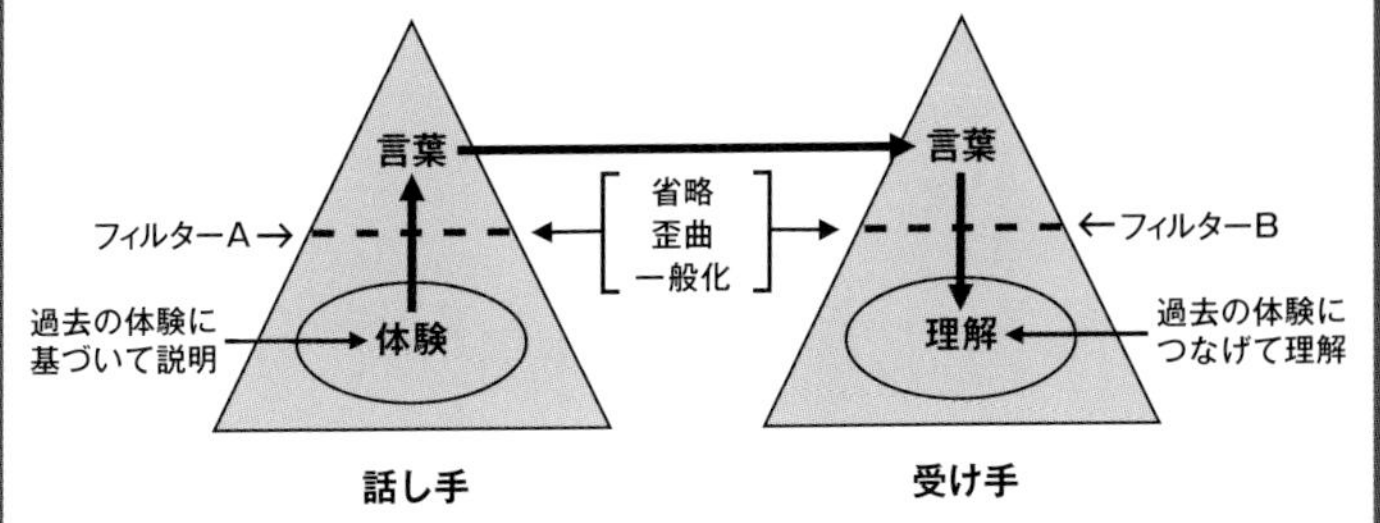

出典：株式会社Trust Work「空のチームマネジメント」資料

説明ボード[2](237ページ)を使って解説をいたします。「相手の話を理解するプロセス」です。

話す側ですが、Aさんの頭の中はこうなっています。まず、話し手は目で見たアートを過去の体験に基づいて説明しようとします。

体験に基づいて自分の知っている言葉に変換します。ここに体験と言葉のフィルターが入ります。これは人によって違うはずです。同じ経験をしていても言葉にする能力によって伝え方も変わります。

今度は、受け手を観察してみましょう。言葉をキャッチしました。皆さん同じようにキャッチしましたか。でも、同じようにはキャッチできていません。なぜだと思いますか。

この言葉をキャッチした時も受け手は過去の体験につなげて理解するのです。例えばコーヒー豆を触ったことを思い出し、大きさや色、香りなどを想像します。

でも、触ったことがなければ理解できないですよね。この四つのフィルター（体験→言葉を話す→言葉を聞く→理解）を通して理解するのです。過去の体験によって理解するので、答えがバラバラになります。伝えたい情報が四つのフィルターを通ることでどんどん変わっていってしまいます。

Aさんはこのキャラクターを一生懸命伝えようとしたのに、皆さんが描いたキャラクターはかなり違うものになっていました。（一同笑い）

Aさんはうそをついてはいません。これがコミュニケーションエラーです。誰もうそをついていないいし、誰も悪者ではないのにコミュニケーションエラーが起きてしまうのです。

空の世界では管制官同士のやりとり、また機長とのやりとりも、全て言葉によって伝え合うので、誤解を招く表現や曖昧な表現は許されません。

ほんのささいなコミュニケーションエラーが重大な事故につながらないよう、航空業界ではあることをして防いでいます。

次のアート鑑賞では、コミュニケーションエラーを防ぐ対策を取り入れます。

説明する人をBさんに替わってもらいます。使用するアートも違います。先ほどより少し複雑

[質問ありの原画]

Title：giant1 Artist：reconstruct creative team Designer：平林麻衣

なアートです。（２３９ページ）
コミュニケーションエラーを防ぐ対策とは、参加者からの「質問」をＯＫとすることです。
質問も含めてトータルの説明時間は、Ａさんの時と同じ5分間です。
最初はＢさんの説明にじっと耳を傾けていた参加者ですが、３分を過ぎた頃から次々と質問が飛び交うようになりました。Ｂさんは質問に対して丁寧に答えています。

はい、５分たちました。説明終了です。

では、皆さんが描いたスケッチをお互いにシェアしてみてください。

（参加者の描いたスケッチは２４１ページです）


「おおっ、けっこう似てる」

「前回よりイメージのズレがなくなってる」

「やっぱり、対話って大切なんだ！」

「質問することで、曖昧なことが確認できた」


確かにＡさんの時と比べると原画との大きな隔たりはありません。

［説明者への質問ありで描いたスケッチ］

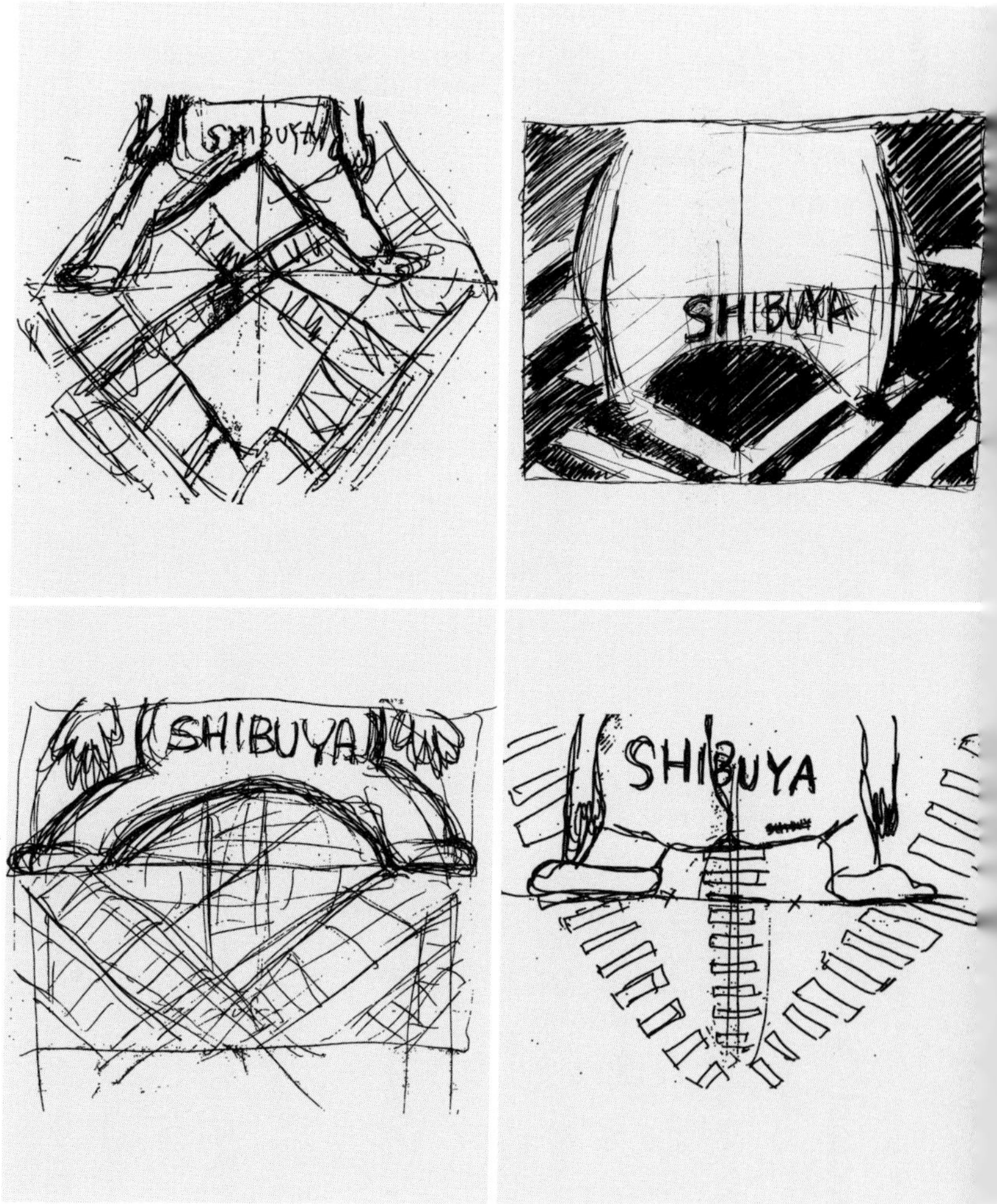

[3] コミュニケーションエラーが起こるしくみ

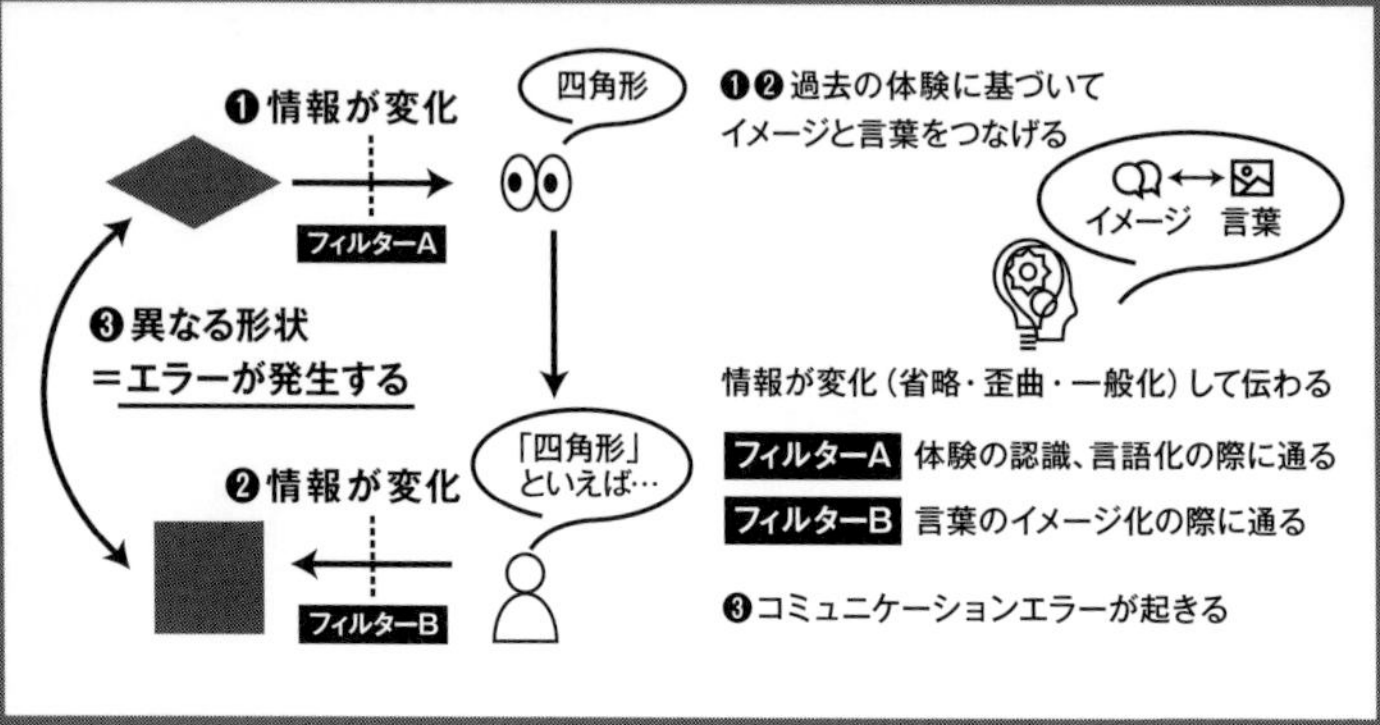

出典：株式会社Trust Wark「空のチームマネジメント」資料／Design：Chie Inoue

参加者からは、「質問できてストレスがなくなった」とか、「こんなに違ってしまうの」「対話の大切さを改めて実感した」などのコメントをもらいました。

では、説明ボード［3］（242ページ）を見ながら空のチームマネジメントの視点から説明いたします。

コミュニケーションエラーが起こる仕組みはこんなふうになってます。

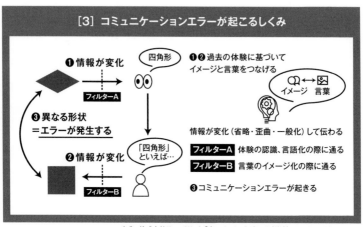

例えば、四角形と伝えたとして、ひし形も四角形ですよね。間違ってないです。別の人は正方形を思い浮かべるかもしれません。こちらはひし形、あちらは正方形で、どちらも四角形なので間違っていませんよね。

これがコミュニケーションエラーなんです。現実にこれが起こってしまうんです。誰もうそをついていないんです。情報は伝え方で変化します。自分は最適の言葉を選んでいると思い込んでいますが、コミュニケー

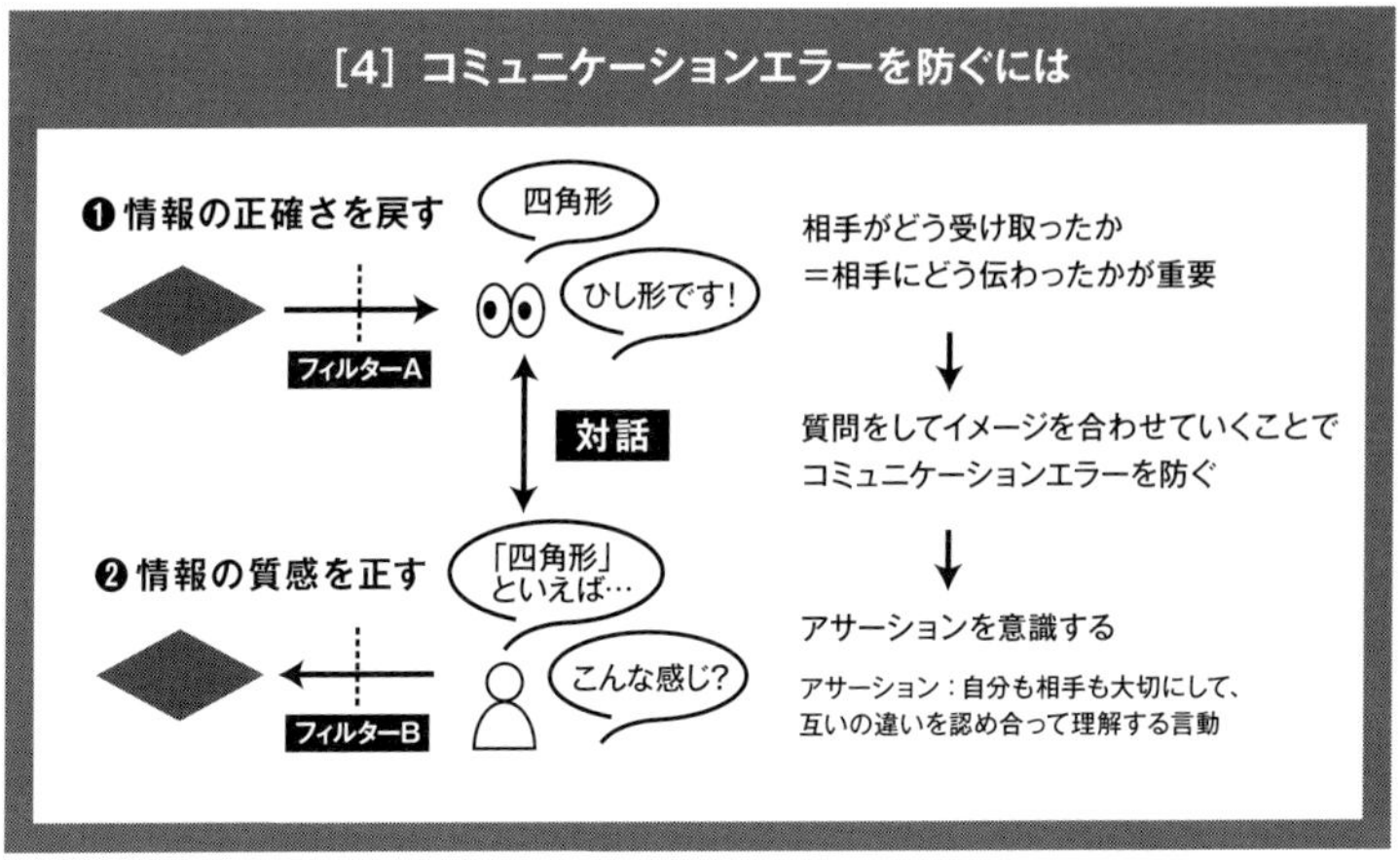
[4] コミュニケーションエラーを防ぐには
❶情報の正確さを戻す
四角形
ひし形です！
フィルターA
対話
❷情報の質感を正す
「四角形」といえば…
こんな感じ？
フィルターB
相手がどう受け取ったか
＝相手にどう伝わったかが重要
質問をしてイメージを合わせていくことで
コミュニケーションエラーを防ぐ
アサーションを意識する
アサーション：自分も相手も大切にして、
互いの違いを認め合って理解する言動
出典：株式会社Trust Work「空のチームマネジメント」資料／Design：Chie Inoue

ションエラーが起こってしまいます。

では、どのようにすべきか次の説明ボード［4］（243ページ）をご覧ください。

例えば四角形と伝えた時に、「どんな四角形なの？」という「質問」を一言加えるとコミュニケーションエラーを回避できるのです。たった一言で変わるんです。「質問」はとっても大切で、相手にどのように伝わったかを確認するすべになるのです。でも、日本人って質問が下手だと思いませんか。会議でもちょっと分かんないけど、「まぁいいか」となってしまいがちです。

家族の間でも、「まぁいいか」がちょっとずつ重なり、心のズレがどんどん大きくなってしまいます。（大爆笑）

これが重要なプロジェクトや航空業界だと、こうしたちょっとしたズレが致命傷になるのです。しかも誰もうそをついていないのです。

今日は、二つの方法でアートを伝えることを行い、「対話」の重要性を学んでもらいました。私はとてもうまくできたと感じています。なぜ、成功したか分かりますか。それは、皆さんが楽しみながら、ワクワクしながら行ってくださったからなのです。

もし、この中に誰か一人でも仕方なく参加したり、ぶぜんとしている人がいるとうまくいきません。実は、良いコミュニケーションには柔らかい空気が必要なのです。

例えば、会社の新人をイメージしてみてください。新入社員が先輩に何か言おうとしても伝わらないことが往々にしてあります。「忙しいからくだらないことを質問するなよ」といった空気だと伝わらないし、コミュニケーションそのものをちゅうちょしてしまいます。そこで大切なのは、先輩の方から目線を下げて聞いてあげることです。

空の世界でも、トップダウン、ボトムアップという言葉を通常とは異なる意味でも使っています。空の世界では、トップの人が目線をダウンさせることもトップダウンと言っているのです。トップの人が目線をダウンさせたかどうかを確認してから意思決定をしなさいと伝えています。

ボトムアップとは、例えば副操縦士が機長に何か伝えるときには、目線を上げて機長がどんな世界を見ているのかを想像してから伝えることを大切にしています。目線の高さを合わせてあげるとコミュニケーションエラーが防げるのです。（全員納得の表情）

優れたチームを生み出す職場

今日は三つのアートを鑑賞していただきました。じっくりとアートを見ていただいたので、いろいろなことに気付いてもらえたと思います。

「空のチームマネジメント」でお伝えした「自考自決」、つまり一人一人が自分で考えて、自分で決めることをこの場で皆さんが行っていたことには気付きましたか。皆さんはお互いを信頼しながら「自考自決」していました。伝える側も傾聴する側も自分で考えて話したり、自分で考えて描いていました。

仕事でこうした場をつくるのはとても難しいんです。組織としてシステムや環境はつくれます。でも何かすごいツールを持ってくれれば、すごいチームが出来上がるわけではないのです。普段の会話、普段のコミュニケーションが大切なことを理解してもらえたと思います。

理想のチームビルディングは、一言で言うと職場の空気をつくることです。職場の空気が良くないと、間違った発言が許されない雰囲気になってしまいがちです。ちょっとした違和感や予兆を

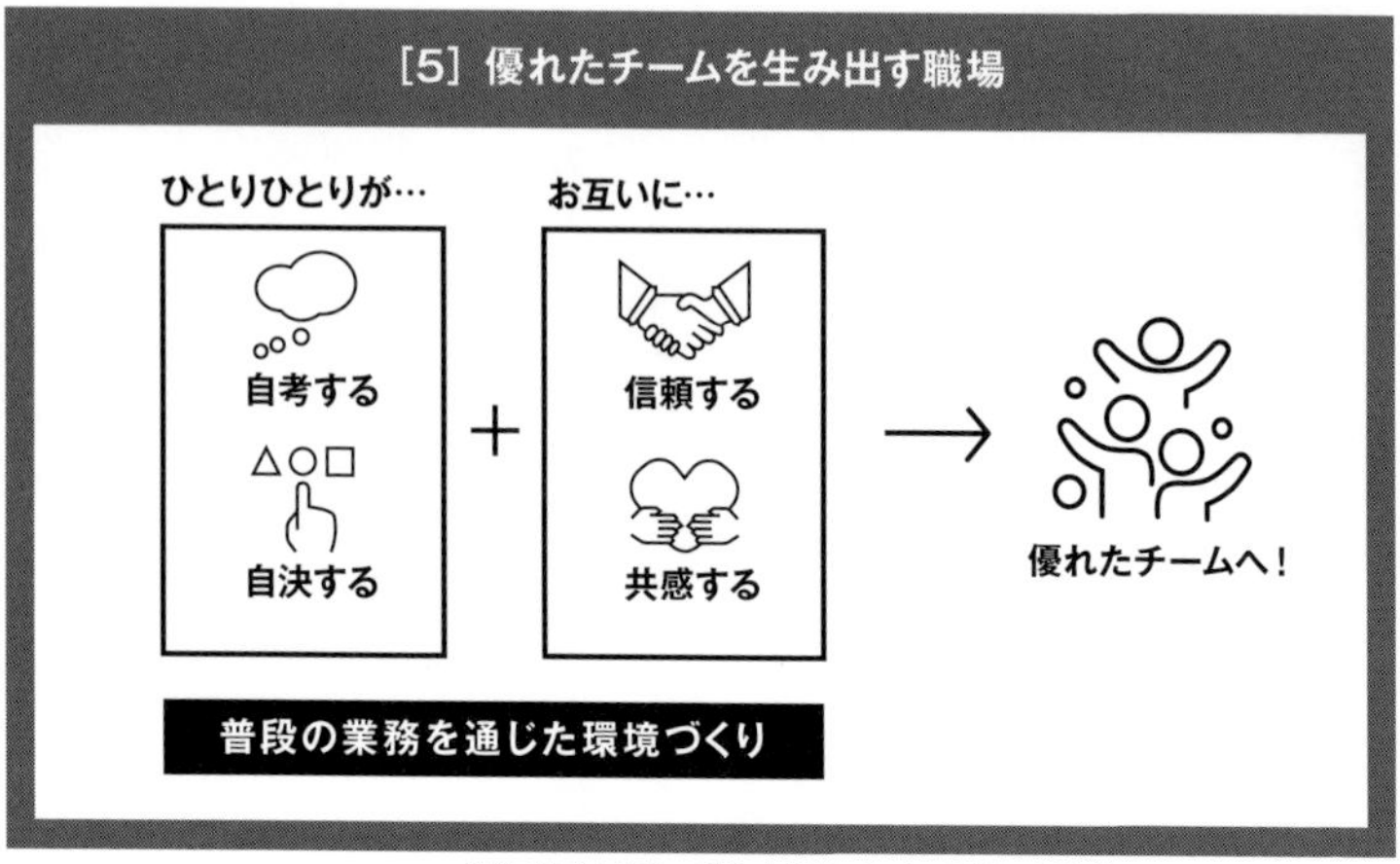
[5] 優れたチームを生み出す職場
ひとりひとりが…
自考する
△○□
自決する
お互いに…
信頼する
共感する
＋
→
優れたチームへ！
普段の業務を通じた環境づくり

出典：株式会社Trust Wark「空のチームマネジメント」資料／Design：Chie Inoue

感じても、間違っていたら怒られるので黙っていようと思います。会議の席で面白いアイデアが浮かんでもばかにされるのでやめておこうとなります。

昔は機長の権威が強過ぎて、違和感を感じても発言しにくい空気がコックピットを支配しており、それが悲しい事故につながったケースがありました。

理想的な職場の空気とは、冗談が言い合える柔らかなムードをつくることが重要なのです。そうした空気の中から斬新なアイデアが生まれたり、気になったことをちゅうちょなく発言できて、ミスや事故をお互いに補完し合える関係が理想の職場なのです。

航空業界は人間は必ずミスをするという「脳の特性」を十分に理解して、個々の責任ではなく、究極のチームをつくる仕組みをつくり上げました。

チームの力でミスをカバーしていく考え方を徹底さ

せたことで、航空機は世界で最も安全な乗り物になったのです。

空の世界で、「絶対的な安全と安心を届ける」ために大切なことは、「人は必ずエラーをする」ことを忘れない。それを防ぐには、個人のスキルを高めるだけではなく、優れたチームをつくっていくこと。これが空のチームマネジメントでは重要なのです。

実は皆さんは最初の段階ではグループでしたが、最後にはチームになったことを感じましたか。最初は5人が初めて会って、どんなふうになるかなと不安でしたが、「対話型アート鑑賞」を通してポジティブに対話できる一つのチームになることができました。

今日は、「対話型アート鑑賞」と「空のチームマネジメント」を掛け合わせたプログラムを体験していただきました。最後にお渡ししたシートに、今日の気付きと明日から自分の仕事で生かせることを書いてみてください。

参加者には5分間かけて、自分なりに体験や気付きを振り返りながら、シートに感想や考えを書き込んでもらいました。

今日は皆さんに、「伝えること」と「伝わること」の難しさを体験していただきました。コミュニケーションって難しいと理解していただければ、もっと人に優しくなれると思います。

多様性を認めることが大切な時代になりました。

空の世界では国籍とか人種や性別の違いが昔から当たり前にありましたので、人間が2人以上いたら必ずダイバーシティーが発生すると考えていました。

なぜならば、自分と同じ人間はいるわけがないので、機長は副操縦士が自分と同じように見えるわけがないと認識しているからです。空の世界では、大前提としてヒューマンエラーは起こるものだと捉えているので、違和感を感じた際に発言しやすい空気をつくることをとても大切にしているのです。

チームビルディングに大切な三つのキーワード

［1］観察力や創造的思考力を高め「自考自決」ができる人になる
［2］チーム内の信頼関係を深め「究極のチーム」となる
［3］柔らかな空気をつくり「対話力」をアップする

以上、円滑なコミュニケーションと強いチームづくりを学んでいただきました。仕事上のミスを防ぐには、「伝わる話し方」で「対話」をすることが大事なのだとよく分かりましたか。皆さんもぜひ実践してみてください。人との関係が良くなり、働きやすい職場環境になっていくことと思います。

これは、障がいのある人もない人も同等の権利を持つ存在として、共に生きる社会をつくっていく上でも必要なことです。

対話をすることで仕切りを取り払い、風通しを良くすることができるはずです。フラットなコミュニケーションにより、フラットな社会を実現していきましょう。

皆さんご参加ありがとうございました。お疲れさまでした。

（参加者一同から大きな拍手）

おわりに

フクフクプラスもようやく設立6年目を迎えることができました。社会問題を解決するためのCSV型の事業とはいかにも立派に聞こえますが、コロナ禍で一般の企業がバタバタ倒産する時代において、事業を継続させるために悪戦苦闘中です。障がいのあるアーティストの作品に新たな価値を付加させるアイデアが最初からあったわけではありません。それこそ五里霧中でしたし、プログラムを向上させるため、いまだに3人で侃侃諤諤《かんかんがくがく》の議論を続けています。

私たちが救われたのは、社会全体がSDGsを真剣に受け入れ、自社にできることを考え、実践する大きな潮流が生まれたことです。そうした企業とのご縁が、一つ、また一つとつながり、低空飛行ながら活動を少しずつ広げることができています。霧のかなたにようやく私たちの目指すべき世界が見え始め、向かっている方向が間違っていないことに自信を持つことができるようになりました。

MoMAの対話型鑑賞プログラムを知り、アートとは何か、障がいとは何かを深く考えるようになりました。「対話型アート鑑賞」には正解も不正解もなく、参加者全員で観察、想像、対話するというプロセスを通して新しい気付きが生まれることが面白く、答えが分かることではなく、むしろ分からないことを楽しんでいます。

ソクラテスの「無知の知」は有名過ぎる格言です。自分に知識がないことに気付いた者は、それに気付かない者よりも賢いということを意味していますが、アーティストの名前もタイトルも伏せて、虚心坦懐《たんかい》にアートと向き合い、自分が気付いたことや想像したこと、他の参加者の気付きや想像を対話により知ることは何よりも楽しいことです。多様性理解や創造的な思考力を、こんなに分かりやすく手に入れられる体験はそうそうないと思います。それを提供してくれる「対話の力」や障がいのあるアーティストたちの存在に改めて驚いています。

どの両親も大切なわが子に障がいがあると知った時には、一様にショックを受け、混乱されます。障がいのあるわが子をどのように受け止め、育てていけばよいのか悩みます。そして、何かのきっかけで表現することの中にわが子の才能や可能性を見つけ、わらをもつかむ思いでアート活動を始められています。アートの可能性を知り、芸術により、暗闇にようやく一筋の光を見いだし、それに対してご両親が「祈り」をささげていることを強く感じています。

私は養護学校の文化祭で神に導かれるように、障がいのある子どもたちが描いたアートに出合い、そうした人々が描くアートの不思議な魅力のとりこになりました。その謎を知るために全国のアーティストやご家族、施設にお伺いしてきました。福祉の抱える問題を知り、アーティストやご家族に喜んでもらいたくて支援活動を行ってきましたが、ある時、人が生きるために必要なことや社会にとって大切なことを私の方が教わっていることに気付きました。その気付きを与えてくれた方々に対して、自然と頭が下がり、心が温かい何かで満たされました。

『脳が脱皮する美術館』での「対話型アート鑑賞」は、単に障がいのあるアーティストが描いた絵を観察、想像、対話するだけの人材育成法ではありません。アートを通して自分という人間を理解する入り口になればと思います。また、アートを通して対話が深まり、他者をポジティブに理解する触媒となり、優れたチームづくりに役立つものと信じています。

さらに、アートの向こうにいるアーティストやご家族のことを想像しながら、障がいのある人たちの抱える問題も知ってもらえるとうれしいです。私たちフクフクプラスのメンバーも障がいのある人やご家族が望む社会に寄与できるように事業を推し進めたいと考えています。そのためにできることを一日一日と積み上げていきたいと思います。


私たち人間がつくってきた社会はまだまだ不完全です。

これまでの常識をうのみにするのではなく、世界を虚心坦懐に観察して、一人ひとりが発見したこと、気付いたことについて本音で話し合い、真剣に未来を創造しなければならない時代になっていると感じています。

謝辞

この本を世に出すために本当に多くの方々の力をお借りしました。まさに優れたチームの力で『脳が脱皮する美術館』を完成させることができました。

障がいのある人から学んだこと、アートの持つ可能性、対話の重要性を社会に伝えたいと考え、丸2年かけて執筆しましたが、全体で400頁にもなり思いが強すぎて書籍として体を成していませんでした。

出版社を探してみましたが、どこも手を上げてくれる所はありませんでした。諦めが悪い、しつこいことが私の取り柄であり、欠点です。友人でありビジネス出版プロデューサーの宮本里香さんに頼み込み、福祉やデザインの本ではなく、一般書としてどうしても世に出したいとお願いしました。

宮本さんの紹介で、運命の人である時事通信社の坂本建一郎さんに出会いました。坂本さんは、自分が責任を持つから出版させて欲しいと社内を説き伏せてくれました。もう坂本さんには足を向けて寝ることはできません。(坂本さんの自宅の方角を調べておこう)

対話型アート鑑賞に参加してくださった、浅田麻衣子さん、内木美樹さん、小出千亜希さん、小谷友美さん、前川智美さん、武藤章里さん、山田泰久さん、ラデツキー リョウタさんに感謝です。

ファシリテーターの薄葉ゆきえさん、蔭山幸司さんありがとうございました。

取材に協力していただいた工房集の宮本恵美さん、渡邊早葉さん、アトリエライプハウスの大澤辰男さんにも感謝です。

そして私の思いがあふれて山盛りになった文章を読みやすくまとめてくださった安藤智子さんのプロフェッショナルなライターの能力に救われました。

フクフクプラスの磯村歩、髙橋圭にも戦友としての限りない友情に感謝です。


私は鬱となり10年間とても苦しい経験をしましたが、長男の暖、次男の潤の存在が前を向いて生きる力になりました。

さらに、ご縁に恵まれて再婚しました。妻の敦子と娘の桜に癒され、笑顔を取り戻すことができました。家族の大切さを改めて実感しています。


最後に作品を提供してくださった障がいのあるアーティストやご家族、ご縁をいただいた方々に心からお礼申し上げます。

フクフクプラス（https://fukufukuplus.jp）

福島 治（Osamu Fukushima）：グラフィックデザイナー・ソーシャルデザイン研究者／1958年広島市生まれ。浅葉克己デザイン室、ADKを経て、1999年(有) 福島デザイン設立。デザインにおける社会貢献の可能性を探求、実践する。2020年市民芸術祭「アートパラ深川おしゃべりな芸術祭」発起人＆総合プロデューサー、毎年秋に開催、9日間で10万人以上が来場。世界ポスタートリエンナーレトヤマ日本人初のグランプリ、メキシコ国際ポスタービエンナーレ第1位、カンヌ広告フィスティバル・金賞、障害者生涯学習支援の功績により文部科学大臣表賞など国内外30以上を受賞。東京工芸大学芸術学部教授、(株) フクフクプラス共同代表、日本デザイナー学院顧問、公益財団法人みらいRITA理事、一般社団法人ヨコハマフォント理事、一般社団法人CCF理事、一般財団法人森から海へ理事、国際グラフィック連盟会員、JAGDA会員
著書：『クリエイティブで世界を変える』(六耀社) 作品集：Osamu Fukushima (ggg Books)

磯村 歩（Ayumu Isomura）：ソーシャルアントレプレナー／1989年金沢美術工芸大学卒業、同年富士フイルムに入社しデザインに従事。先進研究所におけるイノベーションプログラムの運営、ユーザビリティ評価導入などHCDプロセス構築などを歴任。2006年、同社ユーザビリティデザイングループ長に就任しデザイン部門の重要戦略を推進。退職後デンマークに留学。株式会社グラディエ（現：株式会社フクフクプラス）を創業し、渋谷区「シブヤフォント」事業、「ご当地フォント」事業をプロデュース。桑沢デザイン研究所講師、グッドデザイン賞受賞、ソーシャルプロダクツアワード2021大賞、IAUD国際デザイン賞金賞、内閣府オープンイノベーション大賞選考委員会特別賞、台湾ゴールデンピンデザインアワードベストデザイン賞受賞多数。著書：『感じるプレゼン』(2015UDジャパン)

髙橋 圭（Kei Takahashi）：様々な活動を通し、障がい者施設から生まれる想像力豊かなアート、表現物をデザインと融合することで、社会へプラスになることを実感してきました。元々福祉施設で働いていた経験から、多くの方と連携し福祉施設をより開けた場にし、社会の一員として活躍できる場、また共に支え合える関係を作れる場を作りたいと思い、この度障がい者施設設立も行いました。1984年長野県長野市生、中京短期大学保育科福祉コース卒。かざぐるま保育園 保育士、全国福祉保育労働組合専従職員を経て個人事業主 BTOKを開業。その後も就労移行支援施設、グループホームなどで障がいのある方の就労・生活支援も行う。(株)フクフクプラス共同代表、(一社) FUKU・WARAI代表理事、(一社) シブヤフォント営業統括。

ビジネスに効《き》く対話型《たいわがた》アート思考《しこう》　脳《のう》が脱皮《だっぴ》する美術館《びじゅつかん》
あなたの知らないアートが最強のチームを作る

2024年2月20日　初版発行

著　者：福島 治
発行者：花野井 道郎
発行所：株式会社時事通信出版局
発　売：株式会社時事通信社
〒104-8178 東京都中央区銀座 5-15-8
電話 03(5565)2155　https://bookpub.jiji.com/

装幀・組版　福島デザイン［福島 治・ラデツキー リョウタ］
校正　溝口 恵子
編集担当　坂本 建一郎
印刷／製本　日経印刷

ISBN 978-4-7887-1903-3　C0070　Printed in Japan
落丁・乱丁はお取り替えいたします。定価はカバーに表示してあります。
★本書のご感想をお寄せください。宛先はmbook@book.jiji.com